‹ SÉRIE QR ›

N° 38

MON NOM
EST PERSONNE

Le Quartanier Éditeur
4418, rue Messier
Montréal (Québec) H2H 2H9
www.lequartanier.com

DAVID LEBLANC

MON NOM
EST PERSONNE

fictions

LE QUARTANIER

Le Quartanier remercie de leur soutien financier
le Conseil des Arts du Canada
et la Société de développement des entreprises
culturelles du Québec (SODEC).

Gouvernement du Québec – Programme de crédit d'impôt
pour l'édition de livres – Gestion SODEC.

Le Quartanier reconnaît l'aide financière
du gouvernement du Canada
par l'entremise du Fonds du livre du Canada
pour ses activités d'édition.

Diffusion au Canada : Dimedia
Diffusion en Europe : La librairie du Québec (DNM)

Dépôt légal, 2010
Bibliothèque et Archives nationales du Québec
Bibliothèque et Archives Canada

ISBN : 978-2-923400-58-7

LE FAUX DÉPART
Une histoire hospitalière

Le pied se réveilla le premier. Puis une douleur dans le côté droit. Tandis que son réveil sonnait, dans la lumière pâle qui traversait ses rideaux usés, il se disait : « Encore neuf minutes... »

Il crut comprendre alors qu'il faisait naufrage et qu'il lui faudrait trouver un truc, un refuge, une voie d'évitement. Il s'imaginait parfois, avec cette absence de fantaisie qu'accusait chacun de ses rêves, designer petit-bourgeois branché dans la trentaine, blogueur vedette du *Zeitgeist* graphique (avec appartement sur Saint-Laurent en face du Laïka, abonnement au *Monocle*, apparence de vie surchargée nourrie par une panoplie d'applications iPhone). Ou bien il rêvait de repartir à zéro, d'abandonner ses études, de tout lâcher, de parcourir l'Europe ou l'Amérique du Sud en sac à dos. Mais ces plans d'évasion bohèmes atteignaient rarement le stade de projets.

Une question se serait imposée devant cette promesse d'une vie plus simple, d'un bonheur plus facile : Antoine

Redier, décédé à Paris le 50 décembre 1892*, pensait-il lui aussi faire fortune en inventant le réveille-matin ? La main s'abattit sur le bouton SNOOZE et donna neuf minutes de plus à l'interrogation pour s'évanouir entre les deux oreilles de celui qui ronflait encore.

Il ne devait pas être si difficile de s'arracher à cet état d'endormissement, même s'il fallait y appliquer toute sa pensée, ses croyances, son énergie. Il s'étira vivement dans son lit, fit réagir sa tête et craquer son cou, mit de l'éclat dans son regard, tendit les muscles de son visage, comme s'il s'apprêtait à raconter une férocité d'enfant commise sur un chat, mais il se retint. Sa décision était prise ; il irait systématiquement à l'encontre de son sentiment, saluerait Bianca avec entrain quand elle s'apprêterait à lui rendre visite, tolérerait gentiment la présence d'Annie dans sa chambre, puis il savourerait à longs traits, en dépit de sa souffrance et de son ennui, tout ce que Carl lui raconterait.

Il voulait d'abord se lever tranquillement, sans être obligé, s'habiller et surtout déjeuner. Il serait temps ensuite de réfléchir, car il comprenait bien qu'en restant couché, il ne parviendrait pas à trouver une explication rationnelle à sa situation.

« Et si je continuais de dormir un peu en oubliant toutes ces conneries ? » pensa-t-il, mais c'était impossible,

---

* « Un de nos constructeurs les plus distingués, M. Antoine Redier, est mort à Paris, le 50 décembre 1892. Né à Perpignan, le 25 décembre 1817, il était dans sa soixante-seizième année. » Nécrologie parue le 14 janvier 1893 dans la revue de vulgarisation scientifique *La Nature* (n° 1024).

tout à fait irréalisable, car ni travail ni études ne l'invitaient à rester coucher. Il avait les yeux et l'esprit ouverts comme les ailes d'un condor. Jamais de relations durables, ni même cordiales, avec personne. « On devient complètement stupide à se lever d'aussi bonne heure, pensa-t-il, mais l'intelligence ne mène pas le monde, si tant est qu'elle mène à quelque chose. Je réfléchis beaucoup trop. Stop. »

Il se laissa glisser dans sa position antérieure, les bras sous les couvertures, presque la tête aussi, au chaud dans l'oreiller qui s'enfonce, en route vers le pays des rêves, mais à l'envers, en retournant sur ses pas, consciemment.

Déjà, la veille, il avait paru avoir résolu de rester chez lui quand il avait enfilé sa robe de chambre, après le dernier repas du soir, et qu'il s'était assis à son bureau d'ordinateur pour, au choix :

a) faire quelques mots croisés ;

b) reparcourir un vieux *Tintin* ;

c) lire un chapitre de roman policier ;

d) consulter en ligne les premières pages de la biographie scandaleuse d'un enfant-vedette devenu maître de cérémonie dans un bar de danseurs gai de Miami Beach appelé le Bad Daddy Boys Bar ;

e) chercher sur quelques sites non sportifs des photos sexy de la championne paralympique Chantal Petitclerc ;

f) ne rien faire du tout ;

rituel après lequel il avait l'habitude d'aller se coucher.

Quand, par un temps mortifère qui incitait à rester chez soi, il était resté si longtemps chez lui qu'il ne pouvait plus sortir sans provoquer l'étonnement général, et quand, malgré tout, il s'est levé dans un brusque sentiment de malaise, qu'il est réapparu en tenue de ville, qu'il a déclaré être obligé de sortir et qu'après s'être laconiquement expliqué, il s'en est allé, comme il avait annoncé, et qu'il s'imaginait avoir laissé un minimum d'intrigue derrière lui, selon la rapidité avec laquelle il avait refermé la porte, il s'est retrouvé dans la rue avec des muscles qui répondaient vigoureusement à la liberté inespérée qu'il venait de leur procurer par une mobilité extérieure inhabituelle.

Quand il avait senti rassemblé dans cette seule décision tout le pouvoir dont il était capable, quand il avait reconnu, en accordant à cette constatation plus d'importance qu'à l'ordinaire, qu'il avait en lui le pouvoir, plus encore que le besoin, de provoquer et de supporter le changement le plus soudain, et qu'il courait tout au long des rues, il avait su, ce soir-là, qu'il était sorti de l'abîme psychologique, tandis que, sûr de lui, avec des contours bien assurés dans la nuit, en se frappant à grands coups de poing sur les cuisses, il accédait à sa forme véritable.

Et, quand toutes ces conditions étaient rassemblées, il avait l'impression de filer entre les gratte-ciel comme un gracieux condor au creux des gorges du Grand Canyon. Cette impression s'accroissait encore à cette heure tardive, alors qu'il rendait visite à une vieille amie pour « prendre de ses nouvelles ».

Carl s'était réveillé un mardi matin à sept heures moins vingt-huit tapantes. Il se sentait bien. Du moins le croyait-il. La maisonnée, tranquillement, s'animait autour de lui. Bientôt sa petite sœur Marianne viendrait lui poser quelques questions selon son habitude. Le père déjeunait déjà sans eux. La mère était enfermée dans la salle de bains. C'était une femme froide, au visage miné de guerre intime, qui passait des heures devant le miroir à se raconter à voix basse, les yeux pleins de résignation, des histoires monstrueusement réalistes.

Puisque la société n'est pas une grande famille, il faut bien que les enfants apprennent à l'extérieur de leur famille comment s'y comporter. On eût dit que Carl s'était laissé tromper tant que la duperie avait été paisible et monotone, l'encourageant même à son insu, ou peut-être par lâcheté, car tout le monde est lâche et a une propension naturelle pour la trahison, du fait de son apparente douceur. C'est pourquoi il est de meilleur conseil de tout accepter, de se comporter comme une masse inerte, même si l'on se sent comme emporté par le vent, de ne se laisser entraîner dans aucun détour inutile, de regarder les autres avec des yeux de poisson frit, de n'éprouver aucun remords et d'écraser de son propre chef les derniers fantômes d'espoir qui subsistent au fond de soi.

Carl entra dans la chambre du mourant pour lui lire les dernières pages d'une bible dont il avait entrepris de lui faire la lecture au début de sa maladie. L'infirmière ne l'ayant pas vu entrer, tout occupée qu'elle était à déchiffrer la dernière note au dossier d'une vieille dame atteinte d'un souffle au cœur dans la chambre adjacente, Carl ne pouvait pas savoir que le mourant était déjà mort lorsqu'il ouvrit le livre sur ses genoux pour lancer, comme c'était son habitude : « Ceux qui lisent un livre pour savoir si la marquise va épouser le vicomte seront déçus. »

*Je ne connais pas de philosophie fausse et, par
conséquent, je n'en connais pas de vraie.*

MICHEL FOUCAULT

L'ISRALESTINIEN

I

L'Isralestinien est né avec deux têtes, deux torses, quatre bras et quatre jambes. À première vue, on aurait dit de simples jumeaux, mais ces deux corps ne formaient en réalité qu'un indivisible et invivable individu.

Avoir deux têtes, c'était déjà une chose, mais deux corps en entier, il y avait vraiment de quoi perdre le nord. Il n'était certes pas facile de se déplacer dans ces conditions, aussi l'Isralestinien s'y refusait-il le plus souvent, sans compter que ses deux corps ne pouvaient s'empêcher de se faire face à tout moment.

Comme si chacun d'eux n'était de l'autre que le reflet, ombres jumelles brûlées par le sable du désert dont l'Isralestinien était surgi, les mouvements des deux corps se limitaient à un va-et-vient, à une valse-hésitation, puisqu'une fois nez à nez, l'Isralestinien ne pouvait faire autrement que de revenir sur ses pas, et qu'inversement, s'il reculait au point de perdre de vue son vis-à-vis, l'impression de ne plus exister rendait ses deux têtes à moitié folles et poussait aussitôt ses quatre jambes à revenir au face-à-face initial.

II

L'Isralestinien parlait l'hébrabe et lisait de droite à gauche. Les traits qui distinguaient son caractère semblaient depuis toujours et à jamais définis par ces termes de l'*Apostille* d'Adso : « l'arrogance de l'esprit, la foi sans sourire et la vérité qui ne connaît pas le doute ». Quand néanmoins quelque doute sur sa foi le tourmentait, il passait aussitôt à la persécution des incroyants.

III

L'Isralestinien savait que dans un verset du *Livre du rabbimam caché* se trouvait la révélation de l'item 57, item selon lequel Celui-qui-ne-doit-pas-être-nommé aurait fait fabriquer pour le prophète Job un iPod en or ne jouant qu'un seul MP3 en boucle, à savoir la chanson « Losing My Religion » du groupe rock R.E.M. reprise en hébrabe par un septuor de rabbimams ismaélites obsédés par la descendance d'Abraham le Ténébreux. L'Isralestinien avait beau fermer les yeux devant la vérité en général, il savait que cette révélation prouvait au moins une chose : son Dieu avait le sens de l'humour.

IV

Il suffisait qu'un lac ou un lopin de terre se glisse entre les deux corps de l'Isralestinien pour qu'un tourbillon de jalousie, de désirs mimétiques et de violences analogues les transporte aussitôt hors d'eux-mêmes. La terre de l'Isralestinien, pourtant, n'était pas foncièrement mauvaise. Deux heures venaient d'y sonner, il faisait bon, et le soleil, au-delà des montagnes, étincelait dans un ciel presque uniformément pur. Qu'à cela ne tienne, quand l'Isralestinien se relevait d'une sieste ou d'une cuite, il n'exprimait pas son appréciation du jour en termes de bon ou de mauvais temps ; il parlait plutôt de « journée grenade », de « pluie de balles » ou de « temps de roquette ». Étranger aux notions de bien et de mal, son quotidien était, comme son intelligence d'ailleurs, essentiellement militaire.

L'Isralestinien n'y pouvait rien – ou du moins croyait-il n'y rien pouvoir – et laissait peser sur sa propre situation un regard impitoyable, souverain et désintéressé. Certes, il arrivait parfois à ses deux corps de se lancer des pierres, comme pour s'obliger à rester alertes malgré la distance, mais aucun ne réussit jamais à atteindre l'autre, soit que la distance était plus grande que la force de ses quatre bras, soit que l'Isralestinien, se faisant toujours face-à-face à lui-même et lui seul, ne pouvait faire autrement que de lancer chaque fois deux pierres qui, chaque corps voulant heurter l'autre tête au même instant, s'annulaient en plein vol, choc contre choc, pour s'abattre à mi-chemin, côte à côte.

En cette impasse se cristallisèrent peu à peu la vie et l'œuvre de ce lanceur de pierres annulées, et c'est de l'accumulation de ces projectiles sans but qu'est né le mur qui sépare aujourd'hui les deux cadavres de l'Isralestinien.

v

Au-delà de leurs innombrables différences, toutes les versions orales et manuscrites de ce conte insensé s'entendent à la fin pour dire qu'un dieu volatil survolant ce mur pourrait y inscrire en pissant l'inscription : « Terre promise n'est pas terre due. »

CONSCRIPTION

L'INVOLONTAIRE SOLDAT *arrive en courant sur la scène au centre de laquelle se trouve un billot pour fendre le bois :* Je m'avance vers elle, comme un homme cloué à la terre qui le nourrit, je m'avance et je lui offre ma main droite. Je me tais, soulève la hache de la main gauche (*bruit sourd*) et je regarde dans la neige rougie ma main droite, inerte et détachée : vraie. (*Son teint devient blanc comme la neige. Pause.*) Je n'ai rien senti, la hache est passée comme une caresse. C'était chaud, voilà tout.

L'ACCIDENTELLE GÉNITRICE, *jusque-là assise dans la salle à l'insu du public, regarde le sang de son fils tomber et se lève pour aller le rejoindre en poussant un sec :* Ah !

LE PATERNEL MANQUANT, *abattant l'Accidentelle Génitrice avec son arme de service :* Ma femme, c'était toi ? (*Aucune réponse.*) J'aurais juré entendre ce claquement de corde autrefois si familier des pendaisons publiques.

L'ŒDIPE ENFANT ROI, *sautant sur l'occasion pour faire honte à tout le monde, vise le Paternel Manquant avec son index revolver et tire :* Paow! T'es mort.

Les comédiens alors debout tombent tous en même temps et restent immobiles aussi longtemps qu'il le faut pour qu'un premier spectateur demande à voix haute si la pièce est finie, en disant par exemple : *C'est quoi la joke?* (Aucune réponse.)

Lorsque finalement les spectateurs quittent la salle, on leur remet une carte de la ville sur laquelle on a tracé le chemin le plus court pour se rendre du théâtre à l'hôpital psychiatrique le plus près.

À l'endroit indiqué, ceux qui auront été assez curieux et patients pour suivre les organisateurs de l'événement jusqu'au bout trouveront à la place de l'hôpital psychiatrique promis un camion de crème glacée rempli de livres de García Márquez et de Dostoïevski que l'on remettra gratuitement à ceux qui auront compris que la pièce ne finira pas, tant et aussi longtemps qu'ils se sentiront disposés à en entretenir en eux-mêmes le mystère.

Une fois rentrés, ces derniers spectateurs pourront ouvrir le livre qu'ils auront choisi et découvrir que de la première à la dernière page ne seront en réalité imprimés que ces quelques mots de Julius Marx : «En dehors du chien, le livre est le meilleur ami de l'homme. Dedans, il fait trop noir pour lire. En dehors du chien, le livre est le meilleur ami de l'homme. Dedans, il fait trop noir pour lire.» Et ainsi de suite.

LA POURSUITE DU BONHEUR

Le bonheur est sorti du restaurant en même temps que ma femme et moi. Sans crier gare, il a frappé avec une chaîne de vélo un homme qui passait en vespa, sur la partie latérale du crâne, lui a volé sa monture et s'est enfui en vitesse par une ruelle condamnée dont il a fait sauter le grillage en faisant crier ses pneus.

Ma femme ne s'est rendu compte de rien. Pendant que je m'élançais à toutes jambes derrière la vespa, elle est montée dans un taxi.

Je croyais que le bonheur était parti avec mon porte-feuille, mais, quand je l'ai vu tourner le coin de l'avenue des Érables flambant nu sur la vespa volée, j'ai compris que quelque chose n'allait pas dans ma version des faits.

Reprenant mon souffle en revenant sur mes pas, j'ai réalisé que le vrai bonheur était parti en taxi avec ma femme pendant que son jumeau à poil faisait diversion. C'est alors que j'ai réalisé que le bonheur ramènerait ma femme dans sa chambre d'hôtel, qu'ils y feraient l'amour toute la nuit et que cet enfoiré de première réglerait leurs billets pour Barcelone le lendemain matin en sortant *ma* carte de crédit de *mon* portefeuille. Saleté de bonheur. Le genre d'escroc assez malhonnête pour accuser une fillette de onze ans de s'être fait violer parce qu'elle portait une jupe trop courte (alors qu'elle portait un pantalon ce soir-là). De quoi vomir. Espèce de salaud, un jour j'aurai ta peau.

On ne sort d'un restaurant que pour rentrer
chez soi, en sortir pour ne rentrer nulle part
revient à se retrouver doublement dehors.

JEAN ECHENOZ

UN AMOUR DE BRAHMS

« Tu n'en crois pas un mot », accusa-t-elle.

Il resta un moment silencieux, puis il répondit : « Mais non, je te crois. »

Elle aurait voulu s'appeler Catherine David, et lui, considérant l'agonie des roses, quelque chose comme Michael Monterey Jack.

Il ne l'aimait pas. Elle ne s'aimait pas non plus. Est-ce parce qu'elle ne s'aimait pas qu'il ne l'aimait pas ? se demandaient-ils parfois. C'était possible, mais difficile à établir avec certitude.

« Je ne pourrai pas rentrer ce soir », dit-il.

Terrain vague, abandonné, c'était jadis un véritable parc à l'anglaise, non loin de Windsor, mais où tout poussait désormais avec une surabondance dévorante, les arbres et les arbrisseaux se faisant la guerre, les fleurs, les fraises sauvages et les mauvaises herbes aussi, dans un besoin déchaîné de terre et de lumière.

Nostalgie du temps où l'on parlait en fleurs.

Nostalgie des repas qui pimentaient leur couple.

En psychométrie, l'approche d'Averroès s'est notamment enrichie de la sémantique différentielle et des échelles hiérarchiques de Gutmann. La théorie des traits latins, qui consiste à attribuer aux énoncés d'un auteur une valeur de position sur un continuum, s'inscrit dans cette perspective. Il existe en outre un monde abstrait qui est une succession de mouvements et d'états immobiles. Le petit déjeuner anglais en est un bon exemple.

Ils avaient déjeuné ce matin-là dans l'un de ces petits restaurants de Chicago où le menu est écrit à la craie sur une ardoise. Puis, pour passer le temps, ils s'étaient promenés parmi les rues désertées par les passants.

Malgré l'heure matinale, les ouvriers s'activaient déjà sur l'échafaudage, silhouettes bleues contre le ciel pâle. Un premier marchait le long de la poutre maîtresse, libre et léger, comme s'il allait bientôt tomber – ou s'envoler ; un deuxième attendait bêtement qu'on lui dise quoi faire, alors qu'un troisième levait une plaque rouge qui ressemblait à un gros livre au-dessus de leurs têtes. Les autres avaient disparu en cours de route : certains auront laissé leur peau dans les combines qui tournent mal et les mauvaises plaisanteries qui vont plus loin que prévu ; et le reste se sera perdu dans le jeu, l'alcool et tous ces autres trains dont on ne descend plus.

Elle lisait *Aimez-vous Brahms ?* de Françoise Sagan, et lui, sans connaître grand-chose à la musique, se disait qu'il leur faudrait commencer par détester Brahms avant de l'aimer vraiment. Il n'y avait pas de logique à cette conviction. Simplement, il se représentait en ces termes la difficulté d'aimer devant le vide de leurs existences centrées sur elles-mêmes.

Il lui avait passé le bras sous la taille, et son autre main, longue comme celle d'un singe, la tenait par un genou. Elle avait les paupières entre-closes, le visage encore convulsé dans un spasme de plaisir. Elle souriait, étendue sur le dos.

« Dis-moi que tu m'aimes », dit-elle.

Au cours de ces brèves retrouvailles, dans l'inquiétude du demi-jour, sous les tilleuls du vaste champ de bataille, sur une pierre plate enfoncée dans la mousse, il l'aima plus passionnément que jamais, et cessa de l'aimer, lui sembla-t-il alors, pour toujours.

« Je te dirai que tu mens », pensa-t-elle.

Ils ressentirent chacun de leur côté le besoin de réfléchir. C'est ainsi que, dans les aires de repos que sont les jardins, le banc a son importance.

Les bancs de jardin sont en pierre, en fonte ouvragée, en fer ornemental ou en bois. Les bois utilisés pour ces bancs sont le thuya (cèdre de l'est), le cèdre de Colombie-Britannique, le chêne blanc, ou encore le luxueux teck. Exposées au soleil et aux intempéries, ces essences de bois prennent une patine qui intègre les bancs au milieu environnant. Les SDF, par exemple, cherchent toujours un banc à l'écart de la rue, le plus au centre du parc possible, afin que, tout autour d'eux, se trouve une égale profondeur d'herbe et d'arbres les séparant de la société.

« Je t'écrirai », dit-il.

Le train n'était pas encore entré en gare. Les rayons obliques du soleil matinal inondaient toute la largeur du quai et les voies de chaque côté, le tout sous les atomes de poussière qui scintillaient dans l'air radieux.

« Comme un chevreuil de Ronsard », pensa-t-il.

Il l'entoura de son bras, força sa chance d'une main posée sur son épaule ; ils s'éloignèrent dans le lent réduit d'une petite bruine que les gens autour d'eux se seraient contentés d'appeler la nuit ; il y avait d'abord la descente par le sentier jusqu'au pont, puis les adieux, maladroits et interminables, comme avant une longue séparation.

De la plate-forme du wagon, il contempla longtemps sa silhouette bleue qui s'éloignait. Plus elle s'éloignait, plus il lui devint évident qu'il ne pourrait jamais l'oublier.

Elle ne se retourna pas.

« Foutaise », pensa-t-elle.

Chercher dans les parties intimes une explication de l'amour reviendrait à démonter une horloge pour apprendre ce qu'est le temps. « La rose est sans pourquoi ; elle fleurit parce qu'elle fleurit », écrivait le mystique germano-polonais Angelus Silesius au XVIIe siècle. C'est sans le moindre effort de raison que la fleur féminisée redonne à la nuit du rêveur les rayons d'amour emmagasinés pendant le jour.

« Incompatibilité », pensa-t-il.

Le « Je t'aime » existe avant d'être dit, prisonnier de tout facteur s'opposant à sa révélation, à sa déclaration. Mais le « Je t'aime » n'est pas l'équivalent de l'amour qui ne ferait que s'exprimer en lui. «Je t'aime» informe, exprime, mais n'aime pas. Son présent est celui d'une offrande : «Je t'aime.» C'est un cadeau que l'on fait, une fleur que l'on offre à l'être aimé. Seule cette concrétisation de la parole légitime la souffrance qui accompagne l'incertaine réciprocité du sentiment amoureux.

Lacan a dit : «Aimer, c'est donner ce qu'on n'a pas à quelqu'un qui n'en veut pas.» En somme, dire à quelqu'un qu'on l'aime, c'est une façon de se soulager d'un besoin.

«Plus j'ai d'amour...» pensa-t-elle.

Moi, moi, moi. Tout le monde dit «moi», même toi. «Moi» est le mot le plus impersonnel qui soit. Miroir, double ravisseur passif, ambigu : ce qu'il montre n'est que montré, et non offert. Le signe échappe au symbole que l'amoureux voudrait reconnaître en lui, si bien que l'image captive de l'aimée ne lui renvoie en définitive que sa propre image de solitaire, prisonnier du ravissement initial. Simple coup de foudre fixé comme un papillon par l'épingle, sentiment déçu. Je n'ai plus eu sur moi-même, dira-t-il alors, aucune puissance depuis le jour où elle me permit de me regarder dans ses yeux, dans ce miroir qui me plaît tant. Miroir, depuis que je me suis miré en toi, mes profonds soupirs me tuent, et je me suis perdu, comme se perdit Narcisse en sa fontaine.

«... plus j'ai de fâcherie», pensa-t-elle.

Cela a été dit, puis répété : «Je t'écrirai.» Les meilleures intentions, les plus cruelles peut-être, et toutes ces femmes, tous ces printemps, avec leurs odeurs ; tous ces matins avec la poussière de la voirie, toutes ces villes forées comme autant de fourmilières à reines multiples, interchangeables; toutes ces voix qui vous promettent mers et mondes et qui vous mènent à la gare en bateau.

« Sans espoir de dommage », pensa-t-il.

Voyager dans ce wagon vide qui roulait comme un sourd entre les traînées de fumée grise avait maintenant quelque chose d'étrange ou de fantomatique, produisait une sorte de grincement familier à son esprit, comme si tout cela s'était déjà produit à une époque antérieure, comme si Catherine David avait déjà été allongée sur cette banquette avec ses mains sous la nuque, dans l'obscurité, les courants d'air et le vacarme, tandis que le même coucher de soleil balayait les vitres du train dans sa fuite inimitable.

« Mensonge », pensa-t-il.

Elle se souvenait de ses amours de jeunesse comme si elle les regardait à travers une vitre couverte de poussière et d'insectes morts. Elle revoyait le passé, mais ne pouvait le revivre. Tout ce qu'elle voyait – tout ce qu'elle croyait savoir – n'était que chimère indistincte.

« Tu n'en crois pas un mot », avait-il claironné.

Elle croyait s'être interrogée un court moment. Pendant cette fraction d'éternité suspendue, cela avait ressemblé à la recherche d'un battement de cœur. Elle se souvient d'avoir répondu : « Mais non, je te crois. »

LE SIXIÈME PAQUET

Ce n'était pas un accident. Les feuilles sont tombées, sans avertissement, en trois paquets distincts. Un premier paquet, à gauche, de feuilles blanches. Un deuxième, à droite, de feuilles déjà imprimées au verso (jadis recto) que je réutilise pour prendre des notes quand je prends des notes, ce qui est assez rare. Un dernier paquet, le troisième, se trouvait entre les deux. Il se trouvait là pour démêler les cartes, comme une moyenne mathématique, même s'il n'existait pas vraiment, en dehors du calcul mental. Le quatrième paquet, par contre, existait bel et bien, à telle enseigne que le présent texte a été écrit dessus. Il s'agit d'un paquet de dix feuilles, trois blanches (paquet 1) et dix imprimées au recto devenu verso (paquet 2). Les feuilles du troisième paquet, qui n'existent pas, se trouvent entre les deux autres paquets et c'est le vide qu'elles laissent qui permet de passer d'une page à l'autre. Un cinquième paquet apparaît alors, identique au quatrième. C'est de ce paquet initial que sont tombées les feuilles avant de recomposer le quatrième paquet. Ces deux paquets sont interchangeables et leur numérotation ne repose sur aucune autre logique que leur ordre d'apparition dans le présent texte. De ce passage d'un paquet à l'autre, du quatrième au cinquième, ou inversement, on peut déduire un sixième paquet, extérieur au texte, dont il est par conséquent impossible de parler, si ce n'est déjà fait. Ce dernier paquet, on l'a deviné, est une parabole.

L'expérience du sixième paquet ne peut pas être reproduite. J'étais en train de lire « Animaux fantastiques » de Michaux, et les feuilles sont tombées. Mais sont-elles vraiment tombées ? La question se pose. Disons plutôt qu'il s'agissait d'un glissement, appelons ça ainsi, une lente glissade que je n'ai pas sentie venir parce qu'elle avait commencé avant même que je ne place le cinquième paquet sur mes cuisses. C'est pour cette raison que je n'ai pas parlé d'accident. C'est pour cette raison que je parle de parabole.

D'un côté, les mathématiques. De l'autre, la gymnastique. La parabole est une figure, on l'exécute sans recours à la parole.

Des lignes se dessinent, tantôt une seule, tantôt plusieurs. Une ligne, six lignes, c'est sans importance. On dirait une cloche, mais le mot « cloche » n'apparaît nulle part. C'est le sixième paquet. Deux chimistes, trois physiciens et un algébriste qu'on exécute sans raison apparente. C'est une parabole.

On ne s'installe pas dans le lit d'une rivière sans s'attendre à ce que le cocu furieux rapplique un jour ou l'autre.

Le sang qui coule et le sang versé ne sont qu'un. L'un ne va pas sans l'autre, et ce qui devait arriver arriva.

Ce n'était pas un accident.

Un soldat allemand, belge, canadien, danois, estonien, finlandais, guatémaltèque, haïtien, israélien, japonais, kazakh, letton, malaisien, néo-zélandais, ouzbek, pakistanais, qatariote, roumain, suédois, tadjik, ukrainien, vanuatuan, wisigoth, yougoslave ou zaïrois. Aucune différence aux yeux de l'humanité. C'est évidemment une parabole (une façon de parler). L'espèce humaine est un théorème inobservable. Pas deux flocons de neige ne sont pareils. La belle affaire. Pour peu qu'on vulgarise, on peut faire dire n'importe quoi à la science. Ce n'était pas la première fois que mes feuilles tombaient par terre. Le sixième paquet les comprend toutes. J'aurais porté d'autres vêtements, ou pas de vêtements du tout, j'aurais lu un autre livre, j'aurais pris des notes dans un carnet au lieu d'utiliser des feuilles volantes, rien n'aurait changé. Le sixième paquet existe en dehors de tout contexte. Les détails n'ont aucune prise sur lui.

CAPPUCCINO GLACÉ
Conte canadien

Les parents de Seven n'ont pas suivi avec assiduité la célèbre sitcom *Seinfeld* (1989–1998), mais l'épisode où George Costanza révèle à ses amis qu'il compte appeler son fils Seven – en l'honneur du joueur des Yankees de New York Mickey Mantle, qui portait le numéro 7 – les a marqués.

Quand les autres enfants refusaient de jouer avec lui, Seven n'en faisait pas grand cas. Il se taisait, se détournait d'eux et s'en retournait jouer dans son coin. On aurait dit que la neige remontait vers le ciel, sauf que personne n'osait en parler. C'était l'été, il ne neigeait pas, mais des enfants s'élevaient dans le ciel en flocons de neige.

Seven faisait à sa tête. En général, ce pouvoir sur les autres lui suffisait. Puis vint la puberté et avec elle l'angoisse de devenir autre que soi. Dans son village, les hivers devinrent de plus en plus longs et froids. Le garçon, incapable d'intimité, se promenait parmi les corps congelés de ses professeurs et des autres élèves. Quelques mois plus tard, quand le printemps arriva enfin, on retrouva les corps de ses parents, bouffis, difformes, méconnaissables, dans le lit de la rivière.

Les larmes de Seven lui décharnèrent les joues, mais ses cellules refusèrent de mourir. Ce n'était qu'apparence de peine, il ne vieillissait pas plus à l'intérieur qu'à l'extérieur. Lorsque tous ceux qu'il avait connus furent ensevelis sous la neige, Seven compta jusqu'à sept, fit un vœu, souffla les bougies et mangea le glaçage avec ses doigts.

Indifférent aux cristaux de glace qui empêchaient son cœur de battre et son sang de circuler, Seven succomberait avant ses huit ans d'un diabète qui lui aura entre-temps fait perdre la vue, l'usage de ses jambes et cette capricieuse habitude qu'il avait prise de ne jamais faire qu'à sa tête. Le village redevenu habitable, on y ouvrit un chaleureux petit café, où les touristes boivent aujourd'hui un allongé pour sept dollars.

Il faut laisser ouvertes les blessures
de la possibilité.

SØREN KIERKEGAARD

CARRIÈRE MIRON

Je ne suis pas né de la dernière guerre. Frères et pères, mères et sœurs – des inconnus qui me hantent, me suivent. Je suis parti à quatre ans, trente ans, sans eux, sans argent. Combien de conflits depuis? Je n'arrive pas à mettre un chiffre. Combien de défaites militaires, d'incendies, de familles défaites? Je n'arrive pas à méditer froidement la chose. Je suis parti de si loin pour en arriver là : frôler de si près la mort qu'aucun alcool n'en diluera l'âcre souvenir, jamais. Non, jamais. Silence, fardeau secret des survivants. Il n'y a pas de mots pour dire. « Ne te retourne pas, ce n'est pas la peine, me suis-je malgré tout dit. Entends aujourd'hui leur paix se poser comme la neige. »

LA MIE DE LA FORÊT

Vivait une jeune femme, radieuse et souriante amie de la forêt, qui se baladait dans les bois sous le soleil de mai. Elle s'appelait Frédérique et Frédérique sentit soudain sous son pied quelque chose de mou. Ce n'était pas la main d'un sergent en capote grise, couché la face dans le ruisseau, mais quelque chose de vivant avait poussé un cri aigu qui semblait provenir de sous sa chaussure droite. Frédérique releva la jambe avec dégoût et se pencha pour voir ce qui pouvait bien s'être retrouvé là-dessous. Un tamia s'enfuit aussitôt en poussant un cri qui ne laissait plus aucun doute quant à la tournure des événements qui avaient précédé cette découverte inusitée. La mie de la forêt se mit alors à pleurer. De peine ou de joie, c'était sans importance. Les gens riaient de toute façon.

LE ROMAN DE LA MORT

Poème allégorique et didactique qui se voulait un traité sur l'art de mourir, *Le roman de la mort* se présente comme le rêve érotique de Simone Schriften Wöllend, auteure de la première partie (rédigée au XIIIe siècle), morte dans son sommeil avant d'achever son ouvrage. L'essentiel du pavé de six cent quinze pages en format poche consiste en une suite de discours, dont la teneur fait montre de satire et d'érudition, ponctuant le récit d'une guerre ouverte entre raison (« Je vais mourir ») et sentiments (« Je sens que je vais mourir »). Plus précisément, *Le roman de la mort* engage une longue réflexion sur les valeurs transcendées par la baise, valeur suprême que Dieu lui-même décrit comme une victoire sur la mort dans ses *Mémoires d'outre-tombe*. Nous y suivons les différentes étapes de l'éducation de Simone, d'abord initiée à la gaudriole par un théologien avant de trouver en Théodore un maître en débauche plus près de ses désirs adolescents. Aveuglée par la passion, elle s'exile à Paris avec un peu d'argent et trois chameaux. Après quelques mésaventures, son frère la ramène à la maison, où elle apprend à décliner son latin. Ennuyée par tous ces *De inimico non loquaris sed cogites, Quod me nutrit me destruit, Plaudite, cives!*, Simone reste cloîtrée six mois dans sa chambre avant d'entreprendre des études libérales à Amsterdam, où elle écrit un livre qui commence par la scène où le vieux Frankie raconte à sa mère mourante ce que lui disait le frère Pédophile Chantant avant de lui laver le dos : « Tout ce qui nous arrive par-derrière est fait selon la volonté de Dieu. »

Il n'y a rien à comprendre, c'est là toute la beauté de l'affaire. La splendeur des massifs blancs – serait-ce le souvenir des dents détachées de la blanche Bérénice ? – qui ressortent d'autant plus qu'ils ne représentent rien, comme autant de cases vides à remplir d'un blanc sans réponse, d'une blanche blancheur inexpliquée, redouble en négatif cette matière noire qui empêche encore les astrophysiciens d'en arriver à une réponse qui balaierait ce vieux mythe poussiéreux d'un horloger précédant le passage du temps.

Tout est pâle, transparent, comme si l'existence du monde ne dépendait plus que de l'œil inquiet qui l'observe. Qu'importe ce qui expliquera ce théâtre, cette mascarade, cette caverne. En refermant le livre, le lecteur laisse le monde s'aplatir dans l'obscurité, mais il n'est plus dupe, et ce n'est pas la vraie vie qu'il retrouve. Il reconnaît maintenant les couleurs qui s'affadissent, et les surfaces, et les gens, et les montagnes qui manquent de relief.

Quant à la deuxième partie du *Roman de la mort*, attribuée à Magnus Krupp, elle dépasse l'entendement.

> *Les hommes ne se servent des paroles*
> *que pour dissimuler leurs pensées.*
> VOLTAIRE

CE SENTIMENT INJUSTIFIÉ
D'AVOIR VÉCU UN ÉVÉNEMENT
EXCEPTIONNEL

Vanessa Li est arrivée en Colombie-Britannique avec sa mère le 29 février 1972. Son père, proche conseiller de Mao Tsé-toung, venait de mourir dans des circonstances ambiguës. De retour d'un voyage en Inde, le père de Vanessa avait en effet offert à Jiang Qing un exemplaire enluminé des *Mille et une nuits* qu'il avait acheté sous le manteau dans une librairie clandestine de Bombay. Reconnaissante, Jiang Qing ouvrit l'ouvrage au hasard et fit tomber une carte postale que le précédent propriétaire du livre avait dû insérer là, pensa-t-elle, afin de garder sa page, faute de signet.

La face illustrée de la carte représentait les ruines du château de Tintagel, petit village de la côte nord-est du comté de Cornwall en Angleterre, tandis qu'au dos de l'illustration se trouvait un bref dialogue rédigé dans une calligraphie si agile que Jiang Qing sut aussitôt qu'elle était de main de maître. Suivant la pureté des traits du calligraphe impérial, la femme politique déchiffra ces paroles vulgaires échangées entre un marchand de tapis persan et un paysan chinois :

— Fais-moi une phrase avec Mahomet.

— Donne-moi une seconde.

— Je t'écoute...

— Il n'y a pas de montre suisse assez précise pour mesurer le temps que le président Mao met à jouir lorsque son épouse le sodomise avec un harnais gode-michet et un masque de Nixon sur la tête.

Jiang Qing étant l'épouse dudit Mao Tsé-toung, le père de Vanessa blêmit en l'écoutant lire ce dialogue obscène, dont il n'était certes pas l'auteur, mais dont il eut nonobstant honte. Que penserait-elle de lui maintenant, et que déduirait Mao de ce scandaleux cadeau ? Le père de Vanessa se sentit piégé, dégaina son arme devant Jiang Qing et se tira une balle dans la tête. Le projectile lui traversa le crâne en diagonale pour en ressortir avec un maximum de dommages par l'artère carotide. Nul doute possible quant à l'issue : un massacre de précision.

Contre toute attente, Mao ne put s'empêcher d'esquisser un sourire en coin quand Jiang Qing lui raconta le drame. Ce que la mère de Vanessa, nouvellement veuve, ignorait en quittant le pays en catimini avec sa fille, c'est que le président Mao se servirait de l'histoire incongrue de son époux suicidé pour égayer sa rencontre historique avec Richard Nixon, rencontre qui aurait déjà eu lieu et fait les manchettes au moment où Vanessa et sa mère terrorisée débarqueraient à l'aéroport international de Vancouver. C'est d'ailleurs en voyant, à leur arrivée en sol canadien, les photos des deux hommes d'État souriant sur la couverture de tous les journaux qu'elle comprit que son mari, qui connaissait mieux que quiconque l'humour acerbe du président Mao, avait tout calculé dans le but de faciliter les rapprochements entre la République populaire de Chine et les États-Unis d'Amérique.

Vanessa chercha pendant des années à comprendre le geste de son père sans jamais le pardonner. Sa mère avait beau lui dire qu'elle pouvait en être fière, c'était plus fort qu'elle, comme si Nixon et Mao pointaient tous les deux une arme sur l'honneur de son père, et que, dans l'impasse mexicaine de cette pensée, la honte du calembour devait lui survivre à tout jamais.

RACONTER ET MOURIR

Un écrivain obsédé par la postérité de son œuvre se suicida avant de l'avoir écrite. Il n'est pas interdit d'imaginer, malgré l'absence de brouillons préparatoires, que son chef-d'œuvre aurait raconté l'histoire d'un perfectionniste qui, remettant sans cesse son ouvrage à plus tard, serait lui-même devenu immortel et parfait, à la place de son œuvre. Pour dire les choses de manière plus rigoureuse, conclut le coroner à la dernière page de son rapport : « Personne ne traverse le monde indemne. Personne ne vit sans se masquer une part de sa réalité, sans interpréter le réel à son avantage. » Impalpable boisson en fontaine qu'offre la mort : son goût varie selon les buveurs.

I HAVE A DREAM

Un couple voyage en Europe. Ils se perdent. L'homme arrête la voiture sur le bord de la route pour regarder la carte. Deux rues portent le nom de celle qu'il cherche. En fait, toutes les rues portent le même nom qu'une autre. Falaise d'Irlande ou d'Écosse (à vérifier). Filles de quarante kilos suspendues par les chevilles. Accident. Renvoi du directeur par sa supérieure. Grandes vagues sur la mer. Voitures soulevées par les flots. Gerry Boulet passe à la radio : « Vous m'avez monté un beau grand bateau / Vous m'avez fait de bien grandes vagues. » Apparaît à la fin un psy portant une fausse barbe à la Monty Python, à la Rock et Belles Oreilles, à la va-comme-je-te-pousse : « On dit que l'impossibilité de relier les rêves comme le sont naturellement les événements de la vie éveillée représentait pour Descartes le signe distinctif du rêve. Un rêve vraisemblable en est-il moins un rêve ? Non, car, même lorsqu'un rêve semble en tous points réel, sa nature mensongère se révèle par le réveil. Ceci démontre, conclut l'auteur des *Méditations métaphysiques*, qu'il n'y a pas de critère absolu de certitude objective. »

DE L'ORIGINE DES GÉANTS
Mini conférence sur une photographie

Les géants n'existent pas. Ils appartiennent à la légende, au mythe, à l'imaginaire. On en retrouve dans les contes de tous les pays, dans la Bible et dans toutes les mythologies. Pourquoi? Que représentent-ils? Nous connaissons tous la réponse, mais nous ne la voyons pas. Les géants frappent l'imagination parce qu'ils ont marqué notre enfance. Pour l'enfant qui rampe à quatre pattes, tous les adultes sont des «grandes personnes», des géants aux pouvoirs démesurés. L'âge d'or et d'abondance imaginé par les récits mythiques n'est rien d'autre qu'une nostalgie romancée pour cette époque où l'herbe était plus longue*. L'enfant qui veut un biscuit, par définition inaccessible, le pointe au géant qui, selon sa bienveillance, lui accorde ou non cette faveur. Si les géants ont cessé d'exister pour nous, c'est uniquement parce que nous pouvons aujourd'hui atteindre les armoires à

* Voir Richard N. Coe, *When the Grass Was Taller,* New Haven/London, Yale University Press, 1984.

biscuits jadis inaccessibles. Simple question d'échelle, pour ainsi dire, et de proportions. Par exemple, pour mon neveu de soixante-deux centimètres, je suis un géant d'un mètre quatre-vingt-huit. L'équivalent, dans ma perspective d'adulte, serait de tomber sur un colosse de cinq mètres soixante-quatre, lequel aurait deux fois la taille de l'Américain Robert Pershing Wadlow, le plus grand homme ayant jamais vécu (de 1918 à 1940) du haut de ses deux mètres soixante-douze, ici photographié à côté de son père, Harold Franklin Wadlow, minuscule mortel d'un mètre quatre-vingt-deux.

*Quand un homme ordinaire atteint
le savoir, il est sage. Quand un sage
atteint le savoir, il est un homme
ordinaire.*

KŌAN ZEN

SMÅLANDAIS DE CŒUR

Je suis seul. Ma fille est partie et mon fils ne m'aime pas.
Ma femme est morte. Quatre ans et demi de traitements
et elle est morte. « Comment résister » (page 29). J'ai la
santé, de l'argent dans un compte à mon nom dans une
banque suisse et un emploi de rêve. « On annonce de la
pluie pour demain. » (page 148). J'ai devant moi de vieux
jours sans signes distinctifs, une enviable retraite avec
pouvoir d'achat indexé sur l'inflation. J'ai changé ma
maison pour un condo. « J'en veux un pour moi aussi »
(page 62). J'ai troqué ma deuxième voiture pour un abonnement BIXI. « Des prix carrément délirants » (page 2).
Je ne suis pas un monstre, mais la question n'est pas là.
Je sais que c'est le hasard. Je sais que je n'y peux rien.
J'ai beau savoir qu'un malheur n'arrive jamais seul, j'essaie quand même de trouver un sens, une signification
profonde, de trouver quelle erreur m'échappe et qu'on
me ferait payer. « Après huit heures dans le noir, c'est
bon de se retrouver devant sa petite parcelle de miroir »
(page 199). J'ai de la difficulté à jeter mes vieux journaux

et j'imagine parfois que le hasard et ma famille organisent depuis le départ, au mépris des règles du jeu, une conjuration de la méchanceté. « Maintenant, mettez vos plans à exécution » (page 132). Ce serait si scandinave de ma part de chercher à ordonner le chaos de la sorte. Je n'ai pas tué ma femme et mes enfants avant de me suicider. « Le calme plat » (page 158). Je consulte assis sur la porcelaine le catalogue IKEA 2010. Mes gestes et décisions importent peu. Je reste immobile, indécis. « Occupez-vous de rêver, de faire des plans, de décider. Si vous le voulez, nous nous chargerons du reste » (page 117). Du moment que j'arrive à arracher une page du catalogue, le reste pourrait s'écrouler aussi. Je n'y crois pas un instant. Je manque d'assurance. Je ne suis pas le monstre que je ne suis pas, que j'ai longtemps voulu être, que je pourrais devenir. Avec un peu de chance, je pourrais enterrer mes enfants, mourant de mort naturelle. Je garde espoir.

PARADIS PERDU, PAR PABLO PICASSO
Puzzle phraséologique

I

PREMIER PLAN

Peau pâle perpétuellement prise pour pure porcelaine, Paule, provoquée par pluies passagèrement prolongées, paraissait paresser pour plaire. Puis, Pierre prenant plaisir, pâmé par pressentiment (proue première, puis poupe, puis pouls plus prestement propulsé par pensées pornographiques), Paule prit peu pépère position pour pomper Pierre, petit peu par petit peu, presque précipitée par Pompéi, puis – par puritanisme ? plus probablement par perversion pseudo-politique prenant Pol Pot pour prototype parfait ! – parada par pampas pour punir Pierre, point par point, pli par pli, paon pas prude... «'Pataphysiquement parlant », prolongerait Patrick Pollock pour paraître plus précis (puis, pensant peut-être parodier Ponce Pilate par prophylaxie philistine plus poussée pour proscrire Philippe Pétain par pendaison,

pourquoi pas ? passer pour plus proprement pantagruélique par paperoles proustiennes pompeusement philo-
sophiques, pamphlets placardés publiquement par pure
parure pour pasticher Pascal (*Provinciales*, 1657 ; *Pensées*,
1670), puis passer pour plus phénoménologiquement
prêchi-prêcha par piétinements pyramidaux, pétrarchaï-
ques*)... Paon pas prude, pour poursuivre, piranha pava-
nant plumes, pointe par pointe, puis patatras !

II

PLAN PRESQUE PAS PERCEPTIBLE

« Pauvre Petit Poucet ! » pensa Pier Paolo Pellan, peintre
polisson peu prolixe, pendant *Poche parmentier* (1974),
pièce présentée par Perec, polygraphe polonais, parfois
par perçante potentialité, parfois par plaisanterie.

Plusieurs portraits pendus par Pellan prirent pre-
neur : *Pachelbel, Paganini, Pagnol, Papineau, Pâris, Paso-
lini, Pasternak, Pasteur, Patton, Pavarotti, Pavlov, Pel-
lerin, Penderecki, Pénélope, Pennac, Perceval, Pessoa, Peter
Pan, Piaf, Pippin, Pirandello, Pissarro, Platon, Plaute,*

---

* Plus prudent, Propp parlerait plutôt par parenthèses parallèles : « Prin-
cesse pucelle + piège perfide poussent Père pleurant pour payer personnages pas propres (*préliminaires problématiques*). Passage périlleux + preux
personnage principal promptement parti pour prouver prestidigitations
puis paradis possibles par pensées pures (*parachèvement prévisible*). » (Pour
pousser plus profond : Propp, *Patrons poétiques pour produire plusieurs palimp-
sestes prodigieusement phantaisistes,* Paris/Pondichéry, Pocket/Presses paléo-
graphiques, 1928, p. 16.)

Poe, Polichinelle, Polo, Pompidou, Ponge, Pope, Popeye, Portishead, Poséidon, Pouchkine, Poulenc, Poulin, Pound, Poussin, Presley, Prévert, Prévost, Priam, Prokofiev, Prométhée, Prost, Protagoras, Proudhon, Prud'hon, Ptolémée, Puccini, Pufendorf, Pulitzer, Purcell, Putnam, Pythagore... Plusieurs propriétaires prirent poids, perdirent pied puis partirent pour perpétuité. Pierre point (pas Pierre Perrault, pionnier photographe ; pas Pierre Perret, plaisantin parfois poète : Pierre *point*) prit plutôt position par politesse (plus précisément, par pantalonnade), priant partout Panurge pétaradant : « papier, panier, piano / panier, piano, papier / piano, papier, panier* », Panurge priant pareillement pour preuve, puissant porte-étendard paillard plutôt pissant, puis :

III
PLAN POSTÉRIEUR + PAROLES POSTHUMES

Psitt ! Paule pinça Pierre. *Pouf !* Pierre plongeant profondément, puis plus pareillement profond. *Plouf !* Pensée profonde pas pensée, pincement poli, plâtré, prolongé par Paule : « Puéril petit porc puant ! » Pensée prépensée, pierre par pierre, pour pleutre pneumatique. *Pfft !* Pauvre petit, perpétuellement pris pour pantin planté, pas Pinocchio, pas Petit Prince, pas Pierrot, plutôt *Procuste persécuté par Perséphone,* portrait peint par Paulus Potter,

---

* Parsifal Panofsky, *Pyjama party pour piano préparé,* 1961.

puis *Paradis perdu*, perspective peinte par Pablo Picasso, puis provisoirement prolongée, pantomime platonique, Paule pacifiant Pierre par paille plus penthotal pour passer poutre : « Putain ! »

DÉCROCHEMENTS SENESTRES

Je me souviens que, lorsque j'avais sept ans, il y avait chez moi un seul livre en anglais, langue que je ne maîtrisais pas encore à cet âge. C'était un exemplaire du magazine *The New Yorker*, rempli de dessins tout en courbes et de calligraphies courant dans tous les sens, ce qui me fascinait tout à fait à l'époque. J'aimais beaucoup les chats qu'on y voyait. Je crois qu'il y avait beaucoup de chats dans ce magazine.

Une vingtaine d'années plus tard, je suis sorti avec une Allemande au visage rond, Lana, qui avait chez elle le numéro du 4 mars 1967. Sur la couverture, on voyait un don Quichotte qui fonçait sur un ananas géant, et à l'intérieur, un poème d'Ogden Nash que Lana, qui prenait plaisir à prolonger mon temps d'attente en s'affairant pour rien (beauté naturelle) devant le miroir de sa salle de bains, me récita par cœur en me voyant feuilleter ce numéro du *New Yorker* qu'elle avait laissé près du lit (coin de page plié au passage choisi) exprès, comme une carotte sous le piège qui guette le lapin.

Lana récitait les rimes de l'Américain avec cet accent munichois dont le charme subtil complétait à la perfection l'harmonie suscitée par la quadrature de son intelligence et le cercle de son visage, et je traduisais dans ma tête à mesure la majesté des sons que sa langue produisait en claquant avec tendresse et autorité sur son délicat palais :

Dieu en sa sagesse créa le moucheron
Puis il oublia de nous en dire la raison.

Nous devions au départ nous voir pour regarder ensemble *La jetée* de Chris Marker, « le plus célèbre des cinéastes inconnus », m'avait expliqué Lana, mais la dernière d'une longue série de catastrophes en Haïti avait rayé du paysage télévisuel mondial tout ce qui s'apparentait à un horaire des programmes réguliers et il n'y avait plus rien d'autre à faire (contempler notre impuissance face à la détresse des victimes coincées sous les ruines de leur pays pauvre n'étant pas une option) que l'amour.

Toujours sur le point de trouver l'équilibre et toujours échouant. Un appel important nous interrompit juste à temps et m'évita éventuellement de sombrer dans l'alcool (après la naissance d'un fils inattendu).

D'une rencontre à l'autre, on avait fini par s'aimer, mais notre relation fulgurante et passionnée n'a pas survécu, par ma faute. J'ai voulu lui offrir un chat pour lui signifier mes sentiments, sauf qu'en arrivant chez elle je ne m'étais pas aperçu que le chat était mort dans sa boîte à chaussures, et je n'ai pas trouvé les mots pour la consoler ni pour m'excuser de lui avoir offert en symbole de notre amour un chat mort. Une faille temporelle s'était dressée entre nous et pendant un instant j'aurais juré la voir s'éloigner vers la gauche avec mes points de repère. Ce n'est qu'en sentant ma tête donner violemment contre le mur que j'ai réalisé mon erreur. C'est mon compartiment du monde qui avait glissé vers la droite.

La logique amoureuse aurait voulu que l'on profite tous les deux de ma blessure à la tête pour se réconcilier, mais le mal, qui n'a que faire des poncifs de l'amour moderne, était fait.

Je suis rentré chez moi avec mon chat mort et l'ai jeté avec la boîte dans le feu de foyer que j'ai allumé pour l'occasion. Il ne faisait pas froid. J'étais bien.

Ne pleure pas parce que c'est fini.

Souris parce que c'est arrivé.

LETTRE À UNE AMIE CANCÉREUSE

Zurich, le 13 octobre 1915

Chère petite pute,

Quoi de neuf, docteur ? Avez-vous fait un beau voyage ? Avez-vous pris des photos ? Êtes-vous revenues bourrées, broyées, en un morceau, en vie, en vespa, enceintes ou je ne sais quoi encore ? Avez-vous passé vos examens ? Alors, ça passe ou ça casse ? Avez-vous visité une ferme dans les quinze derniers jours ? Entretenez-vous de bons rapports avec vos proches ? Formez-vous toujours un groupe social cohérent ? Avez-vous rencontré le grand amour impossible ou son petit-cousin Moche-Et-Sans-Talent-Mais-Possible ? Et toi ? As-tu toujours la même chambre ? Le même parfum ? Les mêmes cheveux dans le vent ? Ton nom indien, tu t'en souviens ? As-tu lu quelque chose d'intéressant cet été ? Gardes-tu un bon souvenir de quelque événement survenu dans la dernière année ? Espères-tu faire mieux dans l'année qui vient ? Si oui, comment ? Si non, pourquoi ? Es-tu satisfaite de tes réponses jusqu'ici ? Essaies-tu vraiment de penser à tes réponses ou préfères-tu te demander ce qui pouvait bien se passer dans ma propre tête au moment de formuler ces questions ? Est-ce que je m'attends vraiment à une réponse ? Est-ce que je m'intéresse vraiment à toi ? Penses-tu que la pensée des autres nous est vraiment accessible ? T'es-tu déjà demandé ce qui pousse les gens à te dire ce qu'ils te disent ou à ne pas te dire ce qu'ils ne te disent pas ? Est-ce que je peux vraiment m'attendre à un signe de toi d'ici la prochaine lune ? Parlant de corps célestes, oui, tes rêves m'intéressent toujours (comme tout ce qui touche à ton lit), même couchés par écrit, à défaut de l'être moi-même, dans ton lit, au chaud, couché, lové au creux de tes fantasmatiques côtés. Parlant de côtés, rien de nouveau du mien, sinon que je travaille tout le temps, que je lis, que j'écris, que je réfléchis, que je vais bien (je crois), surtout quand je ne pense pas à toi, et que je mens toujours aussi mal.

Je t'emmerde,

Dada

« POÉSIES »
*Notes sur un livre en chantier**

Imaginons un livre de poésie. Pas un recueil, mais un livre. Ce livre, que nous voulons architectural – dont le titre serait « *Poésies* » –, ne contiendrait aucune trace d'inspiration poétique (ni d'inspiration d'aucune sorte) et serait entièrement prémédité, puis construit, lettre par lettre, mot par mot, page par page, et ainsi de suite. Comme il s'agit d'architecture, l'architecte-auteur chargé de construire ce livre aurait tout naturellement un plan à suivre à la lettre – au sens littéral. On pourrait se figurer ce plan en pensant à deux losanges imbriqués ou, de façon plus juste encore, à deux guillemets s'ouvrant («) et se refermant (») autour d'un x central, symbole de la multiplication, de l'inconnue mathématique ou de la chose qu'on ne veut ou ne peut désigner par son nom. L'auteur faussement anonyme pourrait s'y « dix-culper »

* Le livre, qui paraîtrait aux éditions Le Quartanier, porterait en exergue ces mots que Mallarmé adressa à Verlaine dans une lettre écrite à Paris le lundi 16 novembre 1885 : « un livre qui soit un livre, architectural et prémédité, et non un recueil des inspirations de hasard, fussent-elles merveilleuses ».

sous la signature ironiquement analphabète d'un ouvrage reposant sur une totale réciprocité entre les lettres et le texte engendré.

Le premier chevron (‹) du guillemet ouvrant («) serait composé à partir du titre du livre, lequel deviendrait alors l'acronyme du premier poème. De ces sept lettres (P-O-E-S-I-E-S) serait ainsi généré un texte de sept mots, dont le premier commencerait par la lettre P, le deuxième par la lettre O, le troisième et le sixième par la lettre E, le quatrième et le septième par la lettre S, le cinquième par la lettre I. Cela pourrait ressembler à :

Paisiblement, on entre
sans intrigue
en soi.

Ce poème I, issu du titre, deviendrait à son tour l'acronyme donnant la base du poème II, naturellement beaucoup plus long (trente-six mots) que le premier, et ainsi de suite, chaque poème devenant l'acronyme du suivant, jusqu'au poème IV, de mille trois cent vingt mots. Cette multiplication exponentielle expliquerait le vertige sur lequel se pencherait le poème V. Il s'agirait alors de couper le losange en deux pour jeter un œil à l'intérieur de ce mystère de la langue réfléchie que représentent l'ouverture et la fermeture des guillemets.

Le deuxième chevron (‹) du guillemet ouvrant («) serait composé à partir du sous-titre du livre, à savoir *Un livre architectural et prémédité*, sous-titre qui deviendrait à son tour l'acronyme du sixième poème. De ces trente et une lettres serait alors généré un texte de trente et un mots, le premier et le dix-septième commençant par la lettre U, le deuxième par la lettre N, le troisième et le vingtième par la lettre L, et ainsi de suite. Cela pourrait donner :

Une nuit, l'inconnu vous racontera
en alexandrins raturés
cet hommage insensé.

Tout en caractère, typo un rien apostrophée,
l'écrivain tout partout récitera, extatique,
méditations et dialogues insolubles,
ténébreux, éblouissants.

Le x au cœur du livre ne signifierait rien, nous l'avons déjà dit, simple articulation, axe central de l'enchaînement miroir ix–xi. Si l'architecte était hébreu, cela finirait par ressembler à une étoile juive, dite « de David », mais qu'il le soit ou non, rien n'empêcherait la ressemblance d'opérer, si jamais cela chantait au lecteur.

De l'autre côté du miroir, le premier chevron (›) du guillemet fermant (») serait composé de quatre poèmes reprenant chacun les dernières lettres des mots composant les poèmes vi à xix. Le poème xiv, par exemple, commencerait par la dernière lettre du dernier mot du poème vi, à savoir « éphémère », désignant de ce fait la lettre E pour servir d'ancrage audit poème réflexif.

Le quinzième poème serait un mystère.

Finalement, le second chevron (›) du guillemet fermant (») serait composé de quatre poèmes reprenant chacun les dernières lettres des mots composant les poèmes I à IV. Le poème XIX, par exemple, commencerait par la dernière lettre du dernier mot du poème I, ce qui ramènerait inexorablement la finalité du livre à l'envers des sept mots tirés du titre à l'origine de toute la création :

Il n'
en sortirait
en nul temps.

LE PLUS BAS
DÉNOMINATEUR COMMUN

La justice aveugle, impersonnelle, ne plaira jamais au plus bas dénominateur commun. La raison? La jalousie.

Ce qui frustre le commun des mortels lorsqu'un meurtrier n'est pas aussitôt condamné à mort, c'est qu'on lui refuse à lui, bon peuple, la satisfaction d'une pulsion de mort que le coupable s'est offerte sans en payer de sa vie.

La jalousie, donc, mais la peur aussi, car c'est bien la peur de céder à son tour devant l'absence de châtiment réel (du point de vue de la chair et des os, de l'œil pour œil et du dent pour dent) qui pousse le plus bas dénominateur commun à souhaiter le maintien de la peine capitale pour le soi-disant «bien de la communauté».

Ce que le commun des mortels ignore, outre sa peur et sa jalousie, c'est qu'il cède justement à la tentation dont il pense se garder en militant pour la peine de mort en militant pour la peine de mort.

Maudit verrat de bâtard que
chus donc tannée!
GERMAINE LAUZON

POUR TOUS LES MÉTROS
DU MONDE

J'habitais à Tokyo depuis à peine deux mois que le métro avait déjà été immobilisé au moins trois fois, à ma connaissance (je n'ai pas pris le métro tous les jours), à cause d'un suicide. En faisant une moyenne hyper conservatrice de deux suicides dans le métro par mois par ville, je n'ose même pas imaginer la quantité d'heures perdues dans tous les métros du monde. Ne serait-il pas plus simple, pour satisfaire les deux partis (les usagers suicidaires et les usagers non suicidaires), de construire de fausses lignes de métro qui ne mèneraient nulle part et seraient réservées à l'usage exclusif des suicidaires? À moins qu'il ne s'agisse pour les suicidaires, justement, de mourir en paralysant le plus possible les allées et venues des usagers réguliers en se jetant sur les rails électrifiés en pleine heure de pointe... Le problème serait alors celui-ci: comment amener les suicidaires à faire preuve d'un minimum de savoir-vivre?

LE GÉNIE DE LA LANGUE FRANÇAISE

La marée qui sans le moindre effort défait soir après soir la plage de ses châteaux de sable rappelle au fin observateur qu'il sera à jamais autrement plus ardu de faire que de défaire, et toujours aussi cruellement plus facile de détruire que de construire. C'est pourquoi le verbe « attacher » prend deux *t*, tandis que « détacher » n'en prend qu'un.

TEMPS MORT
Pièce immobile

Sonnerie.
Scène nue dans l'obscurité.
Les personnages ne sont pas là.

F — Salut, c'est moi.

H — Quoi de neuf?

F — Pas grand-chose.

H — Intéressant.

F — Ça passe le temps.

H — Bah, il passerait quand même.

F — Peut-être, mais je ne prends pas de risques.

H — Tu as raison. On ne sait jamais ce qui peut arriver.

F — Ça fait plaisir.

H — Pareillement.

F — Quel jour on est?

H — Je ne sais pas. Lundi. Pourquoi?

F — Je voulais t'appeler mercredi.

H — Deux jours d'avance, ce n'est pas la fin du monde.

F — Non, mercredi passé.

H — Ah, je n'étais pas là.

F — Si ça peut te changer les idées.

H — Ça ou autre chose, en autant que ça passe.

F — Si tu veux.

H — Il y a quand même une différence.

F — Ça ne change rien.

H — Tu veux contredire Einstein?

F — Comment?

H — Tu sais, le temps dans le train qui file sur la rive d'un grand fleuve dans la direction inverse d'un bateau de croisière aura l'air de passer infiniment plus vite pour l'observateur qui voyage sur ce navire avec sa femme.

F — Tu veux dire que...

H — Moi? Rien. Faudrait demander à Einstein.

F — Bon, quelle heure il est, là?

H — Tu n'as pas de montre?

F — Non, et alors?

H — Je ne sais pas, moi, je ne sens pas le besoin de vérifier l'heure à tout bout de champ pour savoir que le temps passe.

F — Tu as quand même un calendrier.

H — Non plus.

F — Tu m'as dit qu'on était lundi tantôt.

H — Exact.

F — Comment tu as fait pour savoir?

H — On était dimanche, hier.

F — Et comment veux-tu qu'on soit sûrs qu'on est lundi?

H — Je n'y tiens pas mordicus.

F — Et si c'était demain, dimanche ?

H & F — (*en chœur*) Et si c'était demain, dimanche ?

Nul accessoire ne prouve que le temps passe.
Scène nue dans l'obscurité.
Connerie.

L'ASSASSIN N'A TUÉ PERSONNE

Je me suis réveillé seul, un bon matin, le côté du lit jadis occupé par ma femme superposé à la part de mon esprit désormais occupée par ce sentiment d'habitude réservé aux épisodes de sommeil sans vagues dont on se réveille avec pour seul souvenir la fantomatique certitude d'avoir rêvé. En palpant la fraîcheur de son absence sous les draps, je me sentais – n'est-ce pas étrange ? – aussi groggy que ce vétéran des tranchées qui au sortir de l'anesthésie des jours de commémoration croit sentir encore le membre dont on l'a amputé pendant la guerre des guerres. La seule différence, c'est qu'en plus de ne pas me sentir seul, ou coupable, ou nostalgique, ou abandonné, ou tout à la fois, je continuerais de marcher et de jouer au golf après mon succédané d'amputation. Or, quand ma femme est revenue se coucher avec le bruit de la chasse d'eau en arrière-plan, c'était comme si l'on m'amputait à froid de la possibilité même du golf.

AMNÉSIE CONTRÔLÉE
J'ai oublié – I

« Excusez-moi, m'a crié ma supérieure à travers la porte, j'ai oublié de regarder s'il restait du papier avant de m'asseoir. » Elle avait su que quelqu'un s'approchait des toilettes par le bruit de mes pas qui résonnaient de plus en plus fort dans le couloir hautain et étroit de son cicatriciel bureau de la direction. Elle ne pouvait pas savoir qui c'était. La tentation était trop forte ; c'était d'ailleurs la deuxième fois qu'elle lançait cet appel à l'aide en m'entendant approcher de sa cabine et c'était la deuxième fois aussi que je repartais sans dire un mot en faisant le maximum de bruit avec mes souliers tout en me retenant pour ne pas rire comme un diable qui se torcherait le derrière avec la barbe de Dieu. La seule différence entre cette fois-ci et la précédente, c'est que je venais d'emprunter au concierge le panneau « TOILETTES DÉFECTUEUSES », que j'ai installé devant la porte pendant qu'elle m'implorait à nouveau (toujours à son insu) d'aller lui chercher du papier dans les toilettes du service des ressources humaines. J'avais déjà averti les quelques collègues (qui la détestaient tous autant que moi) croisés pendant mon aller-retour, mais je voulais être certain que cette claustration, cet épisode scatologique soit suffisamment long pour que la chieuse humiliée ne s'en sorte qu'avec de graves séquelles psychologiques, ou alors, si on était chanceux, avec une certaine dose d'humilité.

*

J'ai oublié le titre de la chanson dans laquelle Renaud dit : « La mer c'est dégueulasse, les poissons baisent dedans. »

*

Je me souviendrai toujours du regard imbécile de la fille qui a eu la candeur de me dire : « Désolée, docteur, j'ai oublié dans quelle clinique je me suis fait avorter les trois premières fois. » Je l'ai néanmoins avortée le jour même, mais j'en ai secrètement profité pour alourdir la procédure de quelques manipulations d'instruments qui l'ont privée à son insu de toute possibilité d'enfantement futur.

*

J'ai généralement oublié le nom de la personne qu'on me présente avant même d'avoir fini de lui serrer la main.

*

J'ai oublié ce qui m'a poussé à dire des adorateurs de Moïse, Jésus et Mahomet qu'ils se prenaient tous pour le deuxième principe de la thermodynamique.

*

J'ai oublié que je venais juste de me brosser les dents avant d'avaler une gorgée de jus d'orange.

*

Ail fort, gâteau vite fait – il note tout –, un d'Ostende en goulasch. (*I forgot how it felt not to understand English.*)

*

J'ai écrit « P.-S. : » à la fin de mon courriel, mais j'ai oublié d'écrire ce que je voulais ajouter après le deux points. Quand je m'en suis rendu compte, il était trop tard, parce que j'avais déjà envoyé mon message (pressé par la fermeture imminente du café Internet où j'écrivais) et qu'en plus j'avais déjà oublié ce que je voulais ajouter en post-scriptum.

*

Nom d'une pipe, me dis-je en m'éloignant de l'avion. J'ai oublié de mettre un parachute avant de sauter.

*

J'ai oublié d'acheter une boîte de kleenex et une nouvelle brosse à dents en faisant mes courses. En attendant de corriger la situation, je dois me moucher avec du papier cul et ma brosse à dents me laisse plus de poils dans la bouche que mon ex.

*

J'ai beau essayer de me rappeler que les personnages interprétés par Woody Allen dans *Manhattan* et *Annie Hall* s'appellent Isaac Davis et Alvy Singer, jamais je ne serais arrivé à formuler la chose sans commencer par « J'ai oublié » sans consulter ma collection de DVD au préalable. Quant aux noms de ses personnages dans *Love and Death*, *Stardust Memories* et *Crimes and Misdemeanors*, je ne peux que confirmer, ma collection à distance, les tenir tous dans l'oubli.

*

J'ai oublié la peau de mon prépuce sur la lame du rabbin.

*

J'ai oublié d'attirer l'attention du lecteur sur le fait qu'il est écrit « fictions » sur la couverture du livre qu'il lit présentement en prenant tout ce qui est écrit à la première personne pour une tranche de vie de l'auteur, personnage invisible dont la couverture, caractères blancs sur fond bleu, rappellera au lecteur le nom Jorge Luis Borges.

*

J'ai oublié de jeter mon cœur de pomme avant d'embrasser la fille au parfum d'orange.

*

J'ai lu il y a quelques semaines une étude où il était question de la réfutation de l'universalité de l'Œdipe freudien par l'anthropologue et ethnologue britannique d'origine polonaise Bronislaw Malinowski*, puis de la réfutation de cette réfutation – et du coup, réaffirmation de l'universalité de l'Œdipe freudien – par un certain Spiro**. J'aurais pu déplorer le fait qu'aucune référence n'était donnée pour soutenir une troisième thèse selon laquelle certains éléments de la constellation œdipienne se retrouveraient également chez les singes anthropoïdes, plus particulièrement chez les chimpanzés, mais j'attendais

* Bronislaw Malinowski, *The Sexual Life of Savages in North Western Melanesia*, New York, Eugenic, 1929.
** Melford Spiro, *Œdipus in the Trobriands*, Chicago, University of Chicago Press, 1982.

73

avec un peu d'appréhension mon tour sur la chaise du dentiste et j'avais comme qui dirait oublié mon esprit critique à la maison.

*

J'ai oublié de prendre des photos d'elle pendant qu'on sortait ensemble (après, c'est un peu gênant).

*

J'ai oublié pendant un peu plus de deux ans que j'avais vu *No Man's Land* de Danis Tanovic dans la chambre d'hôtel d'une escorte cinéphile le 27 avril 2005, mais je m'en suis souvenu le 2 décembre 2007 en retombant par hasard sur mes notes de séjour à Sarajevo.

*

Augurant la douleur de la séparation, la difficulté de l'adaptation, de l'intégration et du changement d'identité, *J'ai oublié de rêver, je vis dans le présent* est une œuvre en tiges d'allumettes du plasticien congolais Aimé Mpane. Né à Kinshasa en 1968, mené à Bruxelles trente ans plus tard par sa recherche du concept tridimensionnel, il dira de son rapport au marché de l'art blanc : « J'ai découvert trois thèmes qui marchent en Europe : le sport, la danse et la mendicité. »

J'ai très studieusement oublié 90 % de ce qu'on a vu dans le cours de psychopédagogie dans lequel j'ai appris que les étudiants ne retenaient en général jamais plus de 10 % de la matière vue en cours.

*

J'ai oublié sur quel principe de moralité imaginaire reposait cet interdit absurde selon lequel deux comédiens jouant un frère et une sœur dans une série télé ne devraient pas sortir ensemble dans la vraie vie.

*

J'ai oilbué de qeulle uvisertiné acirénaime pervniaot ctete feuasme éudte soeln llauleqe nrote ceaevru avriiraert à dhriféfecr snas pèobrmle une pshare éricte cmome cleleci (aevc les bnenos lterets, mias dnas le mviaaus odrre), puvrou que la pèmrerie et la drièrene lttere de cucahn des mtos dnot le cuœr est en ddrroése (à l'eoteipxcn des mtos de minos de qrtuae lterets, cmmoe « bon » et « lu ») sinoet puor luer prat au bon erdiont*.

---

* Traduction : « J'ai oublié de quelle université américaine provenait cette fameuse étude selon laquelle notre cerveau arriverait à déchiffrer sans problème une phrase écrite comme celle-ci (avec les bonnes lettres, mais dans le mauvais ordre), pourvu que la première et la dernière lettre de chacun des

*

J'ai oublié de mettre un condom avant d'avoir des enfants.

*

J'ai oublié, en parlant de la nuit en pantalon, si je voulais faire référence à « la Nature en pantalons » de Rimbaud* ou au *Nuage en pantalon* de Maïakovski. Des détails ! me suis-je dit, mon unique soucis étant alors de voir, d'entendre et de noter *tout ce qui se présentait à moi,* sans aucun choix ni intervention de l'intelligence ; voyageur sans objet, devenu transparent, j'étais libre de tout rôle, j'observais ce qui se passait en mon absence, sans rien juger, et tel un correspondant vêtu de beige dépêché de Bruxelles ou de Bruges, je me contentais de noter sans presse les événements les moins notables.

*

J'ai oublié de garder les yeux ouverts pendant que la tête me tournait après avoir bu un litre et deux cinquièmes de vodka et j'ai vomi, au lieu d'aller prendre un peu d'air en marchant sous la neige d'une nuit montréalaise en

mots dont le cœur est en désordre (à l'exception des mots de moins de quatre lettres, comme « bon » et « lu ») soient pour leur part au bon endroit. »
* Lettre à Banville du 15 août 1871.

attendant que ça passe, ma pointe de tarte aux quatre fruits dans le lavabo de la salle de bains*.

*

Je vais à la bibliothèque de l'Université de Montréal au moins trois fois par semaine, mais hier encore j'ai oublié d'aller faire un tour au quatrième étage pour voir l'édition originale de l'*Encyclopédie* de Diderot et d'Alembert conservée aux Livres rares et collections spéciales, visite qu'une étudiante en histoire de l'art m'a pourtant vivement invité à faire, mais la section Livres rares et collections spéciales était fermée et tout ce que j'ai pu y voir, c'est l'horaire des heures d'ouverture (de toute évidence légèrement différentes de celles de la bibliothèque même) ainsi qu'une page déchirée de cahier Canada qu'on avait scotchée sur la porte, et sur laquelle on pouvait lire :

> *La mobilité s'est emparée de l'amorphe.*
> — Le Corbusier

Sur le coup, je n'ai rien trouvé d'anormal à la présence de cette note, mais, quand je suis rentré chez moi, je me suis demandé comment Charles-Édouard Jeanneret avait fait pour laisser le message suivant sur ma boîte vocale, plus

---

* J'ai appris plus tard que la vodka était l'alcool le plus difficile à absorber par l'organisme.

de quarante ans après sa mort : « Sache, jeune Padawan, que la Force est agissante dans la pensée, et que l'entreprise des hommes y fomente des avatars renaissants. Droit sur le plateau terrestre des choses saisissables, tu contractes avec la nature un pacte de solidarité : c'est l'angle droit. Voilà la proportion qui met de l'ordre dans nos rapports avec l'alentour. En tout cas, Dave, rappelle-moi au bureau avant Roland-Garros. » Écoutant la fin de ce message sans trop savoir quoi penser, à part peut-être « ¡Vamos, Rafa! », je me suis surpris à assembler les éléments d'une vision étrange en demandant à voix haute : « Qui est donc en définitive Belzébuth ? » Pas de réponse, ni de l'intérieur ni de l'extérieur. J'ai remis le téléphone à sa place (au fond d'un faux aquarium spécialement aménagé à cet effet) et je suis allé me préparer une tasse de Huang Shan Mao Feng, thé vert chinois dont on traduit généralement le nom par « pointe duveteuse des montagnes jaunes ».

*

Sacrilège. Une honnête mère de famille que l'on surnommait « Gaston la gaffe » quand elle était jeune entre dans une église, s'installe dans le confessionnal et dit : « Ne m'en voulez pas, Mon Père, mais j'ai oublié le niveau taxonomique où l'on doit classer la tâche consistant à rendre un nouveau produit financier excitant dans une pub destinée au Super Bowl. »

J'ai oublié la durée exacte de la représentation de la pièce *Rhinocéros* d'Eugène Ionesco à laquelle j'ai assisté au Théâtre du Nouveau Monde le soir du 11 décembre 2007, mais je sais qu'au moment de choisir entre les stations de métro Place-d'Armes et Place-des-Arts pour m'y rendre, ma décision n'a pas été longue à prendre.

*

Une étudiante naïve rencontra un homme avec un bras dans le plâtre qui lui demanda de l'aider à remonter sa planche à voile sur le toit de sa Coccinelle jaune. Dans un éclair de lucidité un peu distraite, elle lui répondit : « J'ai oublié mes lunettes. » On ne l'a plus jamais revue.

*

J'ai oublié le nom du père d'Arsène Lupin en regardant pour la première fois *Les contes de la lune vague après la pluie* de Mizoguchi Kenji, cinéaste japonais qui peignit avec une déchirante sérénité la cruauté des femmes, l'humiliation des hommes et la déchéance du genre humain.

*

Le spectacle annoncé n'a pas eu lieu. Nous nous sommes regardés un instant, incrédules, l'air de ne pas trop savoir s'il le fallait ou non, puis nous avons regagné le métro à la nage ; et je me rends compte en écrivant ceci que j'ai tout bêtement oublié de me faire rembourser mon billet avant de plonger.

*

J'ai oublié le rêve que j'ai fait l'autre nuit en élaborant pendant tout l'après-midi une théorie faussement sérieuse selon laquelle il était inévitable que les prêtres catholiques devinssent pédérastes, ceux-ci passant le plus clair de leur temps à collectionner d'obscures confessions, et que le milieu du mot « confession » leur renvoie sans cesse l'image d'une fesse sans trou, évocation divine des anges sans anus qui, selon le dogme de l'infaillibilité pontificale établi lors du premier concile du Vatican en juillet 1870, ne chieraient – du verbe « chier », vulgaire rejeton du latin *defœcare,* les deux signifiant « expulser des matières fécales » – ne chieraient, donc, jamais. C'est ainsi que ma pseudo-théorie expliquait, sans toutefois l'excuser, la fascination des prêtres pour l'orifice immaculé des jeunes garçons d'église. J'aurais bien élaboré en soirée une seconde théorie pour expliquer comment ces mêmes prêtres n'en arriveraient pas là s'ils avaient des enfants, puisque cette expérience leur ferait comprendre à quel point l'idéal biblique d'orifice immaculé cadre mal avec la réalité de ces petites usines à remplir des couches que sont les bébés, garçons ou filles, mais juste au moment où j'allais approfondir cette hypothèse merdique, j'ai retrouvé la note où j'avais griffonné dans un demi-sommeil le scénario de mon rêve avant de l'oublier pendant toute la journée. Voici donc ce que cette note disait : « Bobby Ewing est mort, mais Jean Leloup, mort lui aussi, a rempli son ventre avec des pierres pour qu'on pense le contraire. » Après avoir consulté les manuels d'interprétation des rêves d'un camarade juriste pour savoir ce que mon rêve voulait dire, j'ai fini par trouver l'explication suivante : « Votre boîte de Corn Flakes est à moitié vide. » Or, voilà qu'après vérification, ma boîte de Corn Flakes était à moitié pleine. Ces livres racontent vraiment n'importe quoi.

*

« Vous les avez tous tués ?
— À coups de hache et de marteau, oui.
— Où avez-vous caché leurs corps ?
— J'ai oublié. »

*

Une absurdité qui n'en est pas vraiment une est-elle une absurdité malgré tout ? Qu'en est-il d'une chose qui ne serait pas absurde dans un monde qui le serait ? Des kilomètres de plage absurde sauraient-ils admettre un seul grain de sable rationnel sans que l'univers implose sous le poids d'un tel scandale ? J'ai oublié de demander à un philosophe – mais que veut dire cet oubli ? Les vrais philosophes n'existent pas, si ce n'est dans les livres, mais même les bons livres ne donnent pas de réponses claires. Les livres de mots croisés le font bien, mais ne sont pas à l'abri des erreurs non plus. Ça s'est déjà vu. Nous vivons dans un monde sans pitié.

HORS-D'ŒUVRE ALPHABÉTIQUE
Pour en finir avec l'intention de l'auteur

Monument, musée, mythologie, naturel, nue-propriété, labyrinthe, oubli, kaléidoscope, palimpseste, paradoxe, jour solaire vrai, querelle d'Allemand, invitation au voyage, ironie, ramifications, rire, harmonie, sobriété, glissement des sens, tao, transparence, figure sans traits, flèche vers nulle part, flottement, usufruit, effacement, effet d'émergence qui rappelle certains tableaux de [   ] ou de [   ], énigme, épure, équilibre, esquisse, etc., vagabondage, dépouillement, déchirures dans le papier, distanciation, dynamique en lignes transversales blanches sur fond rouge, white-spirit, clarté, concentration, Xenakis en fond sonore, bruit blanc typographique, yin et yang, anonymat, zapping.

*

L'idée numéro un, au fond, serait de laisser l'invité devant une sorte de carré blanc sur fond blanc, tempête de neige avec lapin blanc dans son coulis, comme ce convive amateur de fine cuisine que le chef s'échine en coulisses à laisser sur sa faim, avec une élégance et un sens de la mesure consommés. Un seul objectif : rien de trop.

LE MARCHAND D'ÉLOGES

Il n'y a rien à espérer de l'espèce humaine. Chaque fois qu'un homme sort de chez lui, c'est vers l'hommerie que ses pas le mènent. Il faudrait accueillir les nouveau-nés avec des broyeurs de déchets pour arrêter le désastre. C'est un paradoxe, nous en convenons, mais il nous faudrait aussi admettre – il serait temps – que l'histoire de l'humanité n'en est pas à un paradoxe près. Après tout, c'est bien à une religieuse que l'on doit l'invention du fil de fer barbelé.

POSSIBILITÉS SAUVAGES

En tournée dans les Maritimes, où elle devait donner une dizaine de concerts afin de promouvoir son premier album, Taylor Mitchell, de son vrai nom Taylor Josephine Stephanie Luciow, une jeune chanteuse folk de Toronto, est décédée le mercredi 28 octobre 2009 après avoir été attaquée la veille par deux coyotes au moment où elle faisait de la randonnée pédestre en solitaire sur la Skyline Trail du Highlands National Park de l'île du Cap-Breton (Nouvelle-Écosse) en plein après-midi.

Alertés par les cris de la jeune femme, deux autres randonneurs ont réussi à appeler le 9-1-1 vers quinze heures, tandis que les coyotes continuaient d'attaquer la jeune chanteuse, laquelle fut illico admise dans un hôpital local avant d'être transférée par avion dans un centre médical de Halifax, où elle succomba à ses multiples blessures moins de treize heures plus tard.

Au même moment, un officier de la police montée tirait sur un coyote dans le parc, demeurant toutefois dans l'incapacité de retrouver le corps. De même, en soirée, des employés du parc trouvèrent un autre coyote et le tuèrent, bien qu'aucune marque de coup de feu ne pût être identifiée sur la dépouille de l'animal.

Dans une entrevue accordée à *The Gazette,* Brad White, un spécialiste des coyotes à l'Université Trent à Peterborough (Ontario), déclara qu'il pourrait s'agir d'un nouveau croisement entre le coyote et le loup, théorie que le biologiste du Département des ressources naturelles de la Nouvelle-Écosse Don Anderson s'empressa de réfuter en précisant qu'il n'y avait pas de loups dans la province, ni même au Nouveau-Brunswick. L'hypothèse de travail de Stan Gehrt, spécialiste des coyotes à l'Ohio State University, et de Bob Bancroft, biologiste de la faune néo-écossais, demeure donc la plus satisfaisante à ce jour, les deux chercheurs avançant la théorie selon laquelle la musicienne aurait cherché à s'enfuir en courant au lieu de faire face aux deux coyotes, déclenchant ainsi l'instinct de prédateur de ces derniers. Il n'y a malheureusement aucun témoin pour corroborer cette version des faits.

À tout prendre, le ministère des Ressources naturelles de la Nouvelle-Écosse confirma en soirée qu'il s'agissait là du premier cas répertorié d'être humain tué par des coyotes depuis leur introduction dans la province par les agents de la faune afin de contrôler la population des lapins, espèce vorace (leur nom étant dérivé du verbe « laper », lequel signifie « manger avec avidité ») dont la forte prolifération menaçait les nouvelles plantations d'arbres dans les années soixante-dix. Le seul autre cas connu en Amérique du Nord est celui de la petite Kelly Lynn Keen, trois ans, attaquée en août 1981 dans la cour de la maison familiale à Glendale (Californie), la fillette laissée sans surveillance dans le salon devant des dessins animés s'étant aventurée à l'extérieur, où un coyote l'attendait pour lui briser le cou et traîner son corps ensanglanté dans la rue, l'incident entraînant par la suite la capture de cinquante-cinq coyotes en quatre-vingts jours par les autorités de la ville, réaction qui poussa des militants pour les droits des animaux à accuser les parents (en 2004, soit plus de vingt ans après les événements) d'avoir déguisé la mort de leur fille en attaque de coyote pour camoufler les mauvais traitements qu'ils lui auraient eux-mêmes infligés.

L'EFFET D'ENTRAÎNEMENT

Pensez-vous vraiment que vous auriez besoin d'aller suer dans une salle d'entraînement trois fois par semaine si vous n'aviez pas succombé au chantage publicitaire du démarreur à distance, de la porte de garage automatisée, de l'ouvre-boîtes et de la brosse à dents électriques, des cartes de fidélité dans tous les points de restauration rapide de la ville, du lave-vaisselle et du four autonettoyant ? Pensez-vous vraiment que l'on ne se moque pas de vous lorsque l'on vous voit faire du surplace sur vos machines à simuler l'activité humaine tandis que l'on passe devant vos salles de montre en profitant gratuitement des rayons d'un soleil que vous devrez encore simuler dans ces salons de bronzage et de mauvais goût où vous vous coucherez encore une fois à plat ventre sans jamais vous douter que ce mode de vie absurde et dispendieux que vous prenez pour l'image même de la réussite socioéconomique est l'équivalent d'un coureur de marathon qui répondrait « Je fuis la vie » à la question « Qu'est-ce qui vous motive ? »

STRATUS AU VOILE GRIS CONTINU

Spécifions d'abord que cette histoire-là vous conduira droit chez le diable. Âmes sensibles s'abstenir. Y aura-t-il du sang, du sexe, de la violence? Ça reste à voir. Il n'y a pas eu de déraillements de trains, d'écrasements d'avions, d'attentats à la voiture piégée, de tirs de roquettes en territoire occupé, de disparitions d'enfants ou de meurtres en série ce matin. Que reste-t-il? Je ne lis pas les journaux. Mes personnages n'ont pas de noms. Ceux qu'ils ont quand je leur en donne sont fictifs. Qu'est-ce à dire? Simplement ce que ça dit, entre les lignes de coke et le cul d'une pute. Je leur donne la fiction comme Dieu donnait la vie dans les vieux récits d'avant le Déluge. Nietzsche avait tout faux : Dieu n'est pas mort, il a juste changé de foi. Ce n'est pas ça du tout. Gilles est entré en trombe, comme dans les livres. On n'entre jamais en trombe dans la vraie vie, ça ne s'est jamais vu. Gilles est sorti. Nous l'avons perdu de vue. Constat à l'amiable. Marie-Noëlle est arrivée au chalet de ski avec des raquettes de badminton et tout le monde a ri un bon coup, l'alcool aidant. On fait rarement du ski dans un chalet de ski. C'est comme ça. Benoît n'aime pas l'hiver, c'est pour ça qu'il est chauffeur de chasse-neige. La seule neige qu'il aime, c'est celle qui n'est plus là. Christian n'aime pas les tournois de pétanque, mais les endroits où il préfère le plus ne pas aller, ce sont les salons de thé. Quand la belle Marie-Ève m'a dit qu'elle s'appelait Marie-Soleil, et non Marie-Ève, je ne l'ai pas crue. Marie-Soleil n'a pas le même nez que Marie-Ève (j'ai l'œil). N'empêche que William a rencontré le diable dans son sommeil après avoir laissé un message sur le répondeur d'Andrée-Anne sous le nom de Vincent. Dans le carnet de rêves que William pourrait tenir, il n'est fait aucune mention de cette rencontre. Vincent y rencontre plutôt un cardiologue qui lui tend une radiographie des mâchoires d'Andrée-Anne, qui s'appelle juste Anne dans le rêve de William. Entre les dents d'Anne se trouve une clé à molette de marque Motomaster. Le cardiologue explique à Vincent qu'il va falloir retirer Anne pour sauver la clé à molette. William pourrait tenir un carnet de rêves mais ne le fait pas, parce que l'esprit de Gertrude Stein s'en occupe, avec le style qu'on lui connaît : « Le cardiologue est le diable est le cardiologue est le diable est le cardiologue est le diable est le cardiologue. » Christian a brûlé le reste de l'histoire en mettant le feu à la boîte à lunch de Gilles, dans laquelle se trouvait le carnet de rêves de William tenu par l'esprit de Gertrude Stein, parce que Christian croyait que Benoît s'y était réfugié après avoir fait la connaissance biblique de Marie-Noëlle dans les toilettes d'un salon de thé du Vieux-Montréal. En temps normal, Benoît n'aurait pas pu se cacher dans une boîte à lunch, c'est l'évidence même, du fait de son problème de poids, mais comme Marie-Noëlle était à la fois la petite sœur, la tireuse de tarot et la mère des enfants de Christian, celui-ci avait en main tous les arguments pour convaincre le chauffeur de chasse-neige de se faire aussi petit que possible pendant quelque temps. L'erreur de Christian aura été de chercher Benoît dans une boîte à lunch alors qu'il avait disparu par le chas d'une aiguille. C'est à ce moment-là que Gilles, alerté par l'incendie de sa boîte à lunch et de tout ce qu'elle contient (en l'occurrence, le pantagruélique lunch de Gilles et le carnet de rêves de William tenu par l'esprit de Gertrude Stein), entre en trombe et disparaît, et tout s'explique.

DANS MA CHAMBRE
OÙ IL FAIT FROID

Ce matin, 25 septembre 2007, j'ai ouvert au hasard *Les cahiers de Malte Laurids Brigge* et je suis tombé sur :

C'est ridicule. Me voilà dans ma petite chambre, moi âgé de vingt-huit ans, que personne ne connaît. Je suis assis ici et je ne suis rien. Et pourtant ce rien se met à réfléchir ; il réfléchit dans son cinquième étage, par un maussade après-midi londonien, et voici ce qu'il pense : Est-il possible, pense-t-il, qu'on n'ait encore rien vu, rien su, rien dit qui soit réel et important ? Est-il possible qu'on ait eu des millénaires pour regarder, pour réfléchir, pour enregistrer et qu'on ait laissé passer ces millénaires comme une récréation dans une école, pendant laquelle on mange sa tartine et une pomme ? Oui, c'est possible.

Après les résidences de l'Université Laval à Québec et celles de l'Université Michel de Montaigne à Bordeaux*,

---

* Où j'ai écrit la majeure partie de *La descente du singe,* entre le 8 octobre 2004 et le 27 mai 2005.

93

me voilà encore une fois dans une de ces chambres qui usent et avilissent ceux qui acceptent de les habiter. J'habite présentement l'astronomique chambre 10220 de la tour ouest des résidences de l'Université de Montréal, au dixième étage. Le nombre a de quoi faire peur, mais le rez-de-chaussée se trouve en réalité au septième, ce qui veut dire que je n'habite qu'au troisième, quoi qu'en dise l'ascenseur, et comme les deux tours n'ont pas d'étages souterrains, j'ignore pour l'instant où se trouvent les six étages qui manquent.

La vie dans les chambres est étrange. On n'y a jamais vraiment l'impression d'être chez soi. Toujours à côté. Toujours du bruit à côté, en face. Des voix qui longent le couloir. Des portes qui claquent. Très peu de visages. On rencontre difficilement les autres chambreurs. Ils sont là, juste à côté. Leur présence nous intrigue, nous nuit, nous parasite, nous empoisonne l'existence petit à petit. On ne remarque pas les chambreurs qui ne font pas de bruit. Les gens civilisés n'existent pas pour le chambreur. Sa chambre est un îlot social dont il tente d'oublier la désolation.

L'autre jour, j'ai entendu un cri. J'ai regardé par la fenêtre. Quelqu'un s'était jeté du dix-neuvième. J'imagine qu'habiter au dernier étage est comme un défi que certaines personnes suicidaires ne mettent jamais trop longtemps à relever. « Allez, saute. » Ou quelque chose comme ça. On ne se jette pas en bas des quatre ou cinq premiers étages. Il est trop risqué de ne pas se tuer.

Je me suis toujours demandé comment les choses se dérouleraient si quelqu'un (moi-même ou l'un de mes voisins) mourrait dans sa chambre fermée à clé. Combien de temps faudrait-il avant qu'on ouvre et quelle odeur régnerait à l'intérieur? Ma fenêtre donne principalement sur les douze étages visibles de la tour est. Je peux donc compter douze fois huit chambres à gauche et douze fois huit chambres à droite des douze fenêtres qui donnent sur les douze salons/salles à manger communs qui donnent sur les deux ascenseurs. Ces fenêtres forment, avec les douze petites des douze salles de bains qui se trouvent au bout à gauche, les deux seules rangées de fenêtres verticales à rester éclairées toute la nuit. Il est deux heures du matin et, de ces cent quatre-vingt-douze chambres, trente et une semblent toujours éclairées. En m'étirant le cou, je peux voir un petit bout d'horizon obstrué par un autre bâtiment universitaire (pavillon J.-A.-DeSève, alias «Centre étudiant»*) avec en annexe les lumières génériquement urbaines de ce qui vu d'ici pourrait aussi bien être Westmount que Victoriaville vue du mont Arthabaska.

En somme, je peux voir cent quatre-vingt-douze chambres. Je présume qu'un même nombre de chambres

---

* Quelques mois plus tard, j'ai compris (peut-on appeler ça comprendre?) que les cinq premiers étages de ce bâtiment étaient comptabilisés comme appartenant aux résidences, mais j'ignore pourquoi le panneau accroché au mur de l'escalier entre le cinquième et le septième dit: «Vous êtes présentement au niveau du 5e étage; le 6e étage est inexistant.» Blague d'architecte? C'est une hypothèse.

se trouvent de l'autre côté de celles-ci, ce qui voudrait dire que la tour est comprend trois cent quatre-vingt-quatre chambres. En multipliant ce total hypothétique par deux, j'estime à sept cent soixante-huit le nombre de chambres contenues par les deux tours. Ce calcul, et son résultat, dégonflent incidemment la monstrueuse fiction qui masquait jusqu'alors la profonde banalité de mon numéro de chambre, 10220 se lisant comme suit : le 10 n'a, en définitive, d'autre fonction que d'indiquer l'étage où se trouve ma chambre. J'habite la très raisonnable chambre 220.

BAIGNER DANS LA FUMÉE

Je me souviens d'un vieil écrivain juif qui avait arrêté d'écrire après avoir été accusé d'antisémitisme par la presse conservatrice. Il s'appelait Matsev A. Fertig-Schreiber et il avait fait partie des *Sonderkommandos* de Treblinka après avoir été échangé contre trois ou quatre prisonniers non juifs par l'état-major d'un corps d'armée auquel il avait jusque-là cru *appartenir* dans un sens autrement plus noble et humain que celui de propriété monnayable, d'objet, ou, comme il allait bientôt l'apprendre, de *Figuren*.

Je l'ai rencontré dans un bar où il venait prendre un verre « avec la régularité d'une montre suisse », selon les dires d'une barmaid qui me confia entre deux bières pression qu'elle s'étonnait toujours de le voir revenir : « La seule issue possible pour un homme dans sa situation ne devrait-elle pas être le suicide ? pensait-elle naïvement. Mais non, le vieil écrivain revenait invariablement prendre son verre de scotch, seul, sans rien dire, sinon "Un verre de scotch". Pas un mot de plus. Il restait assis là, sur son banc, le regard à ras le comptoir, à se laisser baigner dans la fumée secondaire, au milieu de l'apitoiement sur soi collectif. Puis il finissait son verre et s'en allait. »

J'imagine que ça devait quand même faire plaisir à certains désespérés de voir que cet homme ne s'en faisait pas outre mesure avec ce que pouvaient raconter les gens. Peut-être pensait-il faire un pied de nez à ses détracteurs en ne prenant chaque fois qu'un seul verre au lieu de sombrer dans l'alcool. Peut-être aussi gagnait-il à entretenir l'ambiguïté autour de son œuvre et de sa personne. Il est vrai que ses livres se vendaient mieux depuis qu'il n'écrivait plus et que l'aura de mystère et de discorde qui entourait son œuvre était rendue telle qu'on l'étudiait désormais aussi bien en Israël qu'en France, aux États-Unis qu'en Iran. Peut-être avait-il, après réflexion, conclu que la pire chose à faire pour un Juif accusé d'antisémitisme était de se donner la mort, précisément, ou peut-être avait-il conçu son œuvre comme la trace de sa mort à l'écriture, et la fin de son œuvre comme un avant-goût de sa propre existence posthume. J'avoue pencher en faveur de cette hypothèse en lisant ce passage sur lequel s'ouvrait son premier livre, passage sur lequel je vous laisse réfléchir à votre tour, dans un gênant mélange de termes humains, trop humains, et de poudroiement méditatif, insensible à la douleur :

Il n'y avait pas de victimes à Treblinka, seulement des *Stücke*. Des pièces, des pièces, encore des pièces. Morceaux de pâte vulgaire, éléments remplaçables. Il n'y avait pas de victimes, pas de morts. Les camps ne faisaient pas de morts. Le gaz ne tuait pas. Il désinfectait, purifiait, etc. Simple mesure d'hygiène. Les trains arrivaient et repartaient vides. Et ces cadavres qu'on nous faisait sortir des fosses pour les brûler et faire disparaître leurs traces n'étaient pas des cadavres non plus, seulement des *Figuren*. Encore des pièces, des numéros, des chiffres et encore des numéros, des pièces, des chiffres et encore des pièces, des chiffres, des numéros et encore des chiffres, des pièces, des numéros et encore des chiffres, des numéros, des pièces et encore des numéros, des chiffres et des pièces, cortège sans fin d'abstraites figures en colonnes tapées à la machine au service de bilans, calculs et inventaires économiques. Simple appareil au doigt et à l'œil de l'administration. La clé de toute l'opération, sur le plan psychologique, était de ne jamais nommer ce qui était en train de s'accomplir. Ne rien dire. Faire les choses. Banaliser, banaliser, et bannir l'analyse. Toute l'affaire était traitée par une agence de voyages ordinaire, comme pour n'importe quel voyage de groupe ou de particuliers. Les *Figuren* arrivaient au camp à leurs propres frais – certaines figures plus importantes arrivaient même en première classe – et c'est l'Agence de voyages d'Europe centrale qui s'occupait de la facturation, de la billetterie, des ordres de route à donner aux conducteurs. Elle expédiait les *Figuren* aux chambres à gaz ou les vacanciers vers leur villégiature préférée, c'était la même chose, le même bureau, la même procédure, la même facturation, et chacun des employés faisait son travail comme s'il était le plus banal au monde – ce qu'il était d'ailleurs, techniquement, à ras la pragmatique. Les *Figuren* n'arrivaient pas dans des wagons à bestiaux, mais dans des trains de marchandise. Ils n'allaient pas à l'abattoir ni sur une chaîne de montage : ils n'allaient nulle part et nulle part ne les trouvera-t-on jamais. Ces gens, à qui on a retiré jusqu'à la matérialité des morts, n'ont pas eu droit à la protection dont jouissent les animaux. Abandonnés de l'humanité. On ne peut plus ni les pleurer ni leur rendre hommage. Le train est passé. C'est ce que je me tue à vous dire.

LA TIMIDE ET LE GALANT

Alertée par les proches d'une locataire dont on n'avait plus de nouvelles depuis qu'elle avait invité à son domicile un inconnu rencontré sur Internet, la propriétaire est entrée dans l'appartement en se couvrant le nez avec un mouchoir tant l'odeur de décomposition était prégnante. La présumée disparue était en réalité toujours assise devant son rendez-vous, mais les plats intacts et l'absence d'empreintes digitales sur les ustensiles ont tôt fait de mettre la détective dépêchée sur les lieux sur une piste intéressante:

« Un galant homme, fit-elle remarquer pendant que le photographe prenait ses clichés, doit attendre que la femme ait soulevé sa fourchette avant de prendre la sienne. L'hôtesse, qui devait ignorer ce détail, en plus de souffrir, comme nous l'ont appris sa mère et ses plus proches amis, d'une insécurité maladive en présence d'hommes qui lui plaisaient, a dû entrer dans un délire d'interprétation en voyant le galant homme refuser de toucher le canard à l'orange qu'elle lui avait servi. Un malaise qui tourne au drame ; ridicule, mais classique. »

Quand l'affaire fut classée, faute de crime, on envoya aux familles des deux morts un certificat impersonnel sur lequel on pouvait lire : « CAUSE DU DÉCÈS : malaise. »

CHEVAUX FUGITIFS
Essai sur l'animal-machine ·

I

Les revenants

Nous avons dit que nous allions y revenir plus tard et nous y revenons maintenant. Il s'agit d'effacer la spécificité des événements pour ne plus en voir que les mécanismes, de tirer la loi générale de la poussière des événements. Maintenant que nous y sommes revenus, il importe de briser le cadre temporel pour faire apparaître d'autres perspectives. Équivalence entre progrès et décadence, par exemple. Mais nous y reviendrons, ne vous inquiétez pas, nous y revenons toujours. Le sens des événements l'emporte sur leur durée. Un trait d'esprit suffit souvent pour s'extraire de la masse et se retirer dans la gloire. Matière à réflexion ; rendre aux tzars ce qui appartient aux tzars ; montagne en mouvement. Nous y revenons toujours, en somme, puisque nous n'en revenons jamais. En lutte avec l'inquiétude éprouvée devant l'irréversible fuite du temps, nous y revenons sans cesse, comme s'il s'agissait de prouver notre immuabilité en ne restant pas muets.

II
Spirale ou Redoublement
du passé par le présent

Ici, maintenant, la même phrase et pourtant... toujours ailleurs et nulle part déplacée, recontextualisée par les éclats d'incertitude qui l'entourent. Nous avons dit que nous y reviendrions plus tard et maintenant nous y revenons. La décadence est le mouvement naturel des communautés politiques. Discontinuité de la genèse (elliptique, réversible, cyclique) et progression des systèmes de pensée, temps absolu d'avant la mise en marche des durées relatives, et apanage de l'être moderne absolument moderne, le mouvement procure l'émotion en même temps qu'il l'exprime, tandis que la raison procure l'immobilité en retardant l'action – retrait extatique apparenté au complexe temporel de saint Augustin, lui qui distinguait le « présent du présent » du « présent du futur » et du « présent du passé ». En évacuant ainsi l'idée d'une intervention divine dans l'évolution des phénomènes naturels, la chronologie établie par la science est celle d'un monde abandonné au refroidissement, processus qui ne requiert aucune intervention pour s'accomplir.

Le langage : une fenêtre donnant sur une fête

En ce temps des langues modernes analogue à l'ancienneté des grands hommes, c'est l'éloquence qui fixe le pouvoir, et le pouvoir qui légitime la langue, mais la mutabilité du langage inquiète. Le sensualiste s'approprie le réel par les signes et bouleverse les rapports entre perplexité et passé simple en disant trouver de la poésie là où il n'y en avait pas, puisque c'est lui qui l'y a mise en catimini, quand personne ne regardait.

Nous avons encore devant nous toute une archéologie des langues à inventer, trou de mémoire où habiter l'intemporel, afin de repousser la rhétorique en son lieu sans issue. Us et coutumes d'un foyer décent *versus* copie carbonisée, mensonge subtil et tissu de sens issu d'un foyer d'incendie.

Passage du temps et négation du passage du temps, mobilité commune à la pensée de même qu'à la langue chargée de la suivre à travers les flammes figurées de cette fiction de l'enfer terrestre dont nous revenons tout juste – en distinguant entre perfection (atemporelle) et perfectibilité (processus de dépassement perpétuel) – ou en nous rabattant sur le simple mouvement de l'esprit dynamisé par une histoire sublime, dans un temps universel sans histoire. À moins que nous ne postulions, pour simplifier, l'instabilité temporelle de la catachrèse en tant qu'éternelle présence d'un autre temps.

Or, ou bien, etc.

Deux minutes ou un quart d'heure, l'éternité demeure une éternité au fond de son éternelle demeure.

Quant au narrateur, il est éternel, parce que son temps n'est que conté.

IV
Retour à l'œil subjectif partiel

Victime du temps et des incertitudes du devenir humain, l'héroïsme du personnage se défait au contact du temps. Divers éléments du quotidien s'entremêlent aux traces du passé, offrant ainsi une relecture des potentialités du temps présent. Je donne des exemples : carcasse d'un avion de chasse derrière les buissons ; scène de nuit avec impression de guerre lointaine ; webcam au fond d'une grotte pour amateurs d'hibernation à distance avec ours en plastique fluo (porte-clés promotionnel) ; résumés de films pour les amis ; petit air de requiem en souvenir des disparus, etc.

Le quotidien, au jour le jour, se constitue d'une longue suite d'impressions rapides.

Brève lecture au ralenti.

Sentir les images dans le granit, le son d'un grain de voix humaine qui tombe dans le vide, jeux de dilatations et de contractions temporelles, espace, filet de temps, espace, filet de bave, temps, nœud coulant.

Petit travail personnel à faire à la maison :

Mettre un intervalle d'environ soixante-quinze ans entre la vie et la mort.

VIE DE SUE ELLEN

Dans la vie de Sue Ellen, c'est la clarté acérée du jugement des autres qui anéantit les arrière-pensées sombres. Aimée de tous, Sue Ellen ne s'aime pas. Elle se sent
sotte, sale, seule. Elle se sent mourir en société. Elle
ne sait pas – ou feint de ne pas savoir – que, dans la vie
sociale, c'est l'influence d'une personnalité marquante
qui démasque et dissipe toutes ces intrigues nouées dans
l'ombre, où la compréhension opère des effets progres-
sifs et invisibles. La patience du Bouddha est de mise,
car cet état d'esprit se fait jour avec une infinie lenteur.
On ne doit pas y arriver par des moyens violents, mais
par une influence ininterrompue. Rien ne sert de brus-
quer les choses. La réussite sociale passe par le lit.

Le commencement n'était pas bon, mais on est par-
venu à un moment où l'on peut prendre une direction
nouvelle. Le regard de Sue Ellen voile son éclat et cependant demeure lumineux. C'est un leurre. Le regard de Sue
Ellen est vide. Aussi vide que son lit, que son âme, que
son corps. Sue Ellen n'a pas de cœur. Zéro battement la

minute sous sa maigre poitrine. Elle préfère laisser ses battements venir de l'extérieur. Elle ne veut pas mourir, elle voudrait être morte déjà. Une lueur de femme cliniquement morte vous laisse entrer dans son intimité comme dans une morgue ou une salle de réanimation, le corps à la limite du féminin, corps décharné dont le *e* final file à l'anglaise, de CORPSE à CORPS.

Un corps, un cadavre.

Il n'y a pas d'autre mot pour la décrire, elle et le type de femme qu'elle incarne ; froide et distante, et froide, et distante encore, et morte à l'amour.

Il n'y a pas de nouvelles vagues,
seulement l'océan.

JEAN-LUC GODARD

COURT-MÉTRAGE ET MINIJUPE

Plan américain sur fond de musique charleston : des jeunes dansent, boivent, fument, s'amusent, respirent la jeunesse, s'essoufflent, ralentissent, s'arrêtent, ne dansent plus, ne sont plus jeunes, sont remplacés par d'autres jeunes qui dansent, boivent, fument, s'amusent, respirent la jeunesse, sans que plus personne danse le charleston.

SUCCÉDANÉ

Anna était une architecte australienne principalement réputée dans son pays d'adoption, l'Allemagne.

L'architecture, disait-elle en usant d'un allemand approximatif augmenté d'un inqualifiable accent australien, est comme une soirée où l'on entre et sort selon son bon plaisir. Une bonne architecture, c'est-à-dire une architecture qui aspire à l'altitude et à l'achèvement liés à l'excellence en soi, saura susciter l'admiration la plus complète, tant parmi le corps des architectes que chez le plus amateur des amateurs, en alliant paisiblement la plénitude d'un espace maîtrisé aux intrigants interstices qui s'atomisent au passage de l'œil.

Les discours d'Anna pouvaient continuer ainsi pendant des heures et, s'il lui arriva à quelques occasions d'être huée ailleurs, jamais l'Australienne n'accumula en sol allemand autre chose que de chaleureux concerts d'éloges et d'applaudissements.

L'ENNUI VERTÉBRAL

I

Jérôme entrevoyait valses-hésitations, initiations et nuits salées d'extase prosthétique : « En repartant demain, roturière et unijambiste, nulle espèce humaine, en une raide et directe angoisse, ne signifiera l'amour : un travers où balance un serpent. »

II

Qu'as-tu voulu dire par « raide et directe angoisse » ? me demanda plus tard (c'est-à-dire sur l'oreiller) une amie des arts et des lettres à qui j'avais fait lire ce qui précède à chaude voix pendant que je lui rendais la pareille génitale, interrogation à laquelle je répondis par le dessin suivant :

J ~~érôme~~
e ~~ntrevoyait~~

v ~~alses-hésitations~~
i ~~nitiations~~
e ~~t~~
n ~~uits~~
s ~~alées~~

d
e ~~xtase~~

p ~~rosthétique~~
e ~~n~~
r ~~epartant~~
d ~~emain~~
r ~~oturière~~
e ~~t~~

u ~~nijambiste~~
n ~~ulle~~
e ~~spèce~~

h ~~umaine~~
e ~~n~~
u ~~ne~~
r ~~aide~~
e ~~t~~

d ~~irecte~~
a ~~ngoisse~~

112

n ~~e~~
s ~~ignifiera~~

l'
a ~~mour~~
u ~~n~~
t ~~ravers~~
o ~~ù~~
b ~~alance~~
u ~~n~~
s ~~erpent~~

Satisfaite (par l'écrit ou l'oral?), elle ne parut pas curieuse de savoir ce que j'avais voulu dire par «Je viens de perdre une heure dans l'autobus». D'où j'arrivais, où je m'en allais et pourquoi; pas une question ne fut posée. Entre cette phrase verticale aux transports trop communs pour mériter qu'on s'y attarde et la symbolique horizontale du mystérieux Jérôme, trop lumineusement abstraite pour qu'on en saisisse sans effort la part d'ombre (et du coup, se plairait-on à croire, la profondeur), peut-être avons-nous trouvé l'équilibre délicat, entre les deux axes et nos deux sexes.

X et Y machinent en secret leurs échanges, au bout d'un fil ténu de lumière nue.

*Personne ne sait mon nom, et personne
ne connaît ce refuge.*

ERNST JÜNGER

CHANT D'EXTASE
DANS UN PAYSAGE TRISTE

Après treize ans de deuil passés en pleurs, une veuve a rencontré en Autriche l'assassin de feu son mari par l'entremise d'une agence de rencontres. Gardons-nous de juger l'assassin pour avoir gardé le silence. Les caresses d'une veuve ne se refusent pas.

LES MYSTÈRES DU SOUTERRAIN, RUE DE LA LUNE

I

À mesure qu'il dévorait son sandwich, la feuille de journal qui le recouvrait se dépliait sur la table, révélant un problème de mots croisés dont il ne restait plus que deux définitions à résoudre :

HORIZONTALEMENT
VII. La poussière grise qui reste quand on brûle un corps.

VERTICALEMENT
3. État momentané qui ressemble à la mort.

« Je me rappelle quand nous sommes arrivés à la sortie du sous-sol, dit-il en jetant dans le papier ce qui restait de son sandwich. Les fenêtres, qu'on avait fermées à cause des bombes, laissaient passer une lumière terne et sans relief qui venait se poser indifféremment sur tous ceux qui avaient survécu. Dans les ruines incendiées, les décombres avaient rouillé et les toits effondrés étaient restés intacts. Des piliers de diverses hauteurs se dressaient partout tels des piquets noircis et des cendres s'en détachaient pour danser dans la brise. Çà et là, quelque chose jetait un vif éclat – la plupart du temps des restes de vitres brisées, des panneaux de verre brûlés et déformés, des bouteilles en morceaux où le soleil se réfléchissait; le bois s'effritait, la pierre, petit à petit, devenait du sable, les armoires s'écroulaient sous leur propre poids, les montres anciennes s'arrêtaient, fatiguées. C'était l'été, tout retombait en poussière. Quand je pense à tous ces gens qui n'ont même pas eu le temps de voir venir le coup, la bouche pleine de cendres, les poumons écrasés par la demande en oxygène, brûlés par l'effort, ultime paradoxe de l'instinct de survie, et les yeux, trop petits, plissés, incapables de retenir l'essentiel dans cette avalanche de détails simultanés, les yeux qui brûlent dans la poussière, éclats de roche en fusion, brûlés par les proches qui disparaissent dans la panique, serrés, recroquevillés les uns contre les autres, brûlés parmi les leurs, par la chaleur humaine. S'ils avaient seulement pu se traîner jusqu'à la mer, ils se seraient fait des oreillers de sable fin, et la marée serait venue... »

II

Un jeu de cartes était distribué sur la table de façon plutôt cavalière. Les joueurs avaient un peu trop bu pour s'en rendre compte, mais l'un d'entre eux n'avait pas bu de la soirée. Il avait fait semblant, redistribuant habilement le contenu de ses verres dans ceux des autres, à leur insu, tout comme il guettait jalousement leurs cartes du coin de l'œil, vautour et tricheur, prêt à s'envoler pour l'Amérique du Sud avec l'argent des autres.

Plus tard, séduit par les agentes Ada et Danika, il affecta de regarder les photos d'une jolie femme en train de danser nue dans la fontaine du carré Saint-Louis devant une bande de barbus qui jouaient aux échecs en fumant des Gauloises. Le gardien s'avança, se détachant des barreaux, et lui tint à peu près ce langage : « Vous êtes ici parce que vous ne voulez pas y être. Si vous vouliez vraiment être ici, vous pourriez partir en toute liberté. »

III

Justin Milosevic avait décidé de refaire sa vie un jour de mai. Sa décision avait été prise longtemps auparavant, mais c'est ce jour-là que tous ses mois de préparation méthodique apparurent au grand jour.

Justin avait donc décidé de quitter sa femme et leurs trois enfants par un beau jour de mai, laissant derrière lui une maison d'une propreté inquiétante, tous les papiers nécessaires à sa succession disposés sur son bureau, classés par ordre de priorité, avec une lettre expliquant que tous les comptes étaient payés pour les trois prochains mois.

Justin Milosevic ne donna plus jamais signe de vie. Ses proches prétendent qu'il a changé de nom pour se refaire une identité dans une autre ville, si ce n'est dans un autre pays. Les autres, plus réalistes, affirment qu'il s'est probablement suicidé.

IV

On dit que le bulletin météo du lundi matin aurait pour but de confronter le commun des mortels au temps qu'il fait dehors. Trente centimètres de neige sont tombés comme la foudre et les enquêteurs ont débarqué chez moi. Je n'étais pas là. On me l'a dit quand je suis rentré. Mon agenda était encore ouvert à la semaine du 28 novembre. On pouvait y lire, dans la colonne du 29 :

Un monde qui ne connaîtrait pas la faim serait un monde bien triste, car un monde sans faim n'aurait jamais doté l'esprit humain de cet infatigable moteur qu'est pour lui le besoin – à la fois insatiable et absolument vital – de se nourrir.

L'écriture n'était pas la mienne.

La vérité, c'est que je travaillais pour un type qui avait fait fortune dans les fauteuils en cuir qui intégraient console de simulateur de vol et capteurs de mouvement. Quand la compagnie a fait faillite dans la foulée du 11 septembre, sa femme a eu recours aux services d'un tueur à gages pour l'éliminer. Ces choses-là arrivent pour vrai, elle a même fait de la prison pour ça.

Plus tard, j'ai retrouvé dans les choses de mon oncle disparu un petit fascicule, publié fin juillet 1969, où est fait le constat, au sens policier du terme, d'un accident de moto survenu au cours de l'enfance imaginaire d'un certain Christian Boltanski, aujourd'hui réellement décédé. J'ai retenu le titre, *Reconstitution d'un accident qui ne m'est pas encore arrivé et où j'ai trouvé la mort,* parce qu'il se voulait humoristique et que j'aurai bientôt besoin de sourire un peu.

VI

Un Américain en voyage en Floride pour fêter avec sa femme leurs dix ans de mariage jeta ses deux fils du quatorzième étage. Sa femme, alertée par les cris de ses enfants, arriva juste à temps pour voir son mari se jeter à son tour du balcon. Ce n'est qu'en s'avançant pour regarder en bas qu'elle mesura l'étendue de son malheur. Ils étaient tous morts.

Plus tôt dans la journée, son mari avait griffonné une note en regardant les résultats d'un concours de mangeurs de hot-dogs à la télé : « Une fois qu'il passe la trentaine, un homme devient responsable de la gueule qu'il a. »

Justin Milosevic était en prison depuis quarante-huit heures à peine quand le contrôleur aérien qui lui servait de conseiller juridique lui apprit, sans motif apparent, qu'avant l'avènement des vols spatiaux il y avait parmi les astronomes un vif désaccord sur la question de savoir si la surface de la Lune serait assez dense pour supporter le poids d'un astronef ou bien si elle était recouverte d'une épaisse couche de poussière qui l'engloutirait dès l'alunissage.

UN MOMENT DONNÉ

C'était un jour d'avril, et c'était le dernier. Je parle de ce fameux jour qu'on m'a donné et que l'on continue de donner à d'autres, année après année, sans regarder à la dépense ni rien. Quand je dis qu'on m'a donné le jour, je parle évidemment de ma mère, mais faudrait pas oublier le rôle qu'a joué mon père dans toute l'affaire, d'autant qu'à en croire ce qu'ils racontent eux-mêmes de temps à autre, j'étais « voulu ». Ce n'est vraiment pas quelque chose que je dois prendre personnel. Ce qu'ils ont voulu, c'était d'abord un enfant, et encore, un quatrième ! Ce qui pourrait aussi bien signifier qu'ils voulaient voir s'ils pouvaient faire mieux (*plan petit a*), ou qu'ils étaient tout simplement insatisfaits des deux premiers* (*plan petit b*). J'avoue pencher modestement vers ce second plan, mais,

---

* Je sais que je viens tout juste de parler d'un quatrième enfant, mais je n'oublie personne en m'arrêtant à trois. Bébé mort-né. Qui comprend le principe du sixième paquet, ensemble théorique, à savoir fictif, qui englo-berait tous les possibles et toutes les ratures (d'une histoire, d'une phrase, d'un jeu), comprendra aussi cela.

dans un cas comme dans l'autre, c'est un enfant qu'ils voulaient. Or, ce qu'ils ont eu, c'est celui qui regarde droit devant lui cet écran à cristaux liquides sur lequel est écrit : « Or, ce qu'ils ont eu, c'est moi et, pour tout vous dire, il y a déjà un sacré bail que je ne suis plus, non pas moi, mais cet innocent enfant voulu. » Quarante-deux ans, un mètre quatre-vingt-huit, veste en tweed dans les tons bleu marine et lunettes cerclées d'acier. C'est dire à quel point je suis resté inattendu après avoir été voulu et eu. Je dis « eu », parce qu'ils m'ont quand même bien eu en me donnant le jour. Et la nuit ? Oh, la nuit, c'est plutôt tranquille. On ne se bat pas pour elle comme on se bat pour la postérité des jours meilleurs. « Allez, les gars, remettez ça à demain ! » disait Maïakovski aux soldats des deux camps. Il faut dire qu'il disait cela avec d'autres mots, dans une autre langue et à une autre époque, ce qui revient à dire qu'il n'a jamais vraiment dit ce que je viens de citer tout haut, en parlant tout seul. Tout seul, oui, car la nuit est moins sociale, plus humble et plus humaine, du moins quand on en profite pour dormir, l'esprit tranquille, après avoir fait l'amour, fini un livre. C'est que la nuit est une chose précieuse : qui la reçoit en garde le secret. Aussi n'entend-on jamais parler de ceux à qui l'on a donné la nuit.

LES JALOUX FONT
LES MEILLEURS COCUS*

* J'avais pensé écrire un texte pour donner chair à ce titre, mais avec le recul, je trouve que ce titre s'en tire très bien tout seul. Tout ce que je pourrais lui ajouter, incluant la présente phrase, serait grossièrement inutile. C'est pourquoi, si « Les jaloux font les meilleurs cocus » ne m'avait pas semblé suffisant, je lui aurais greffé un sous-titre du type « Texte à ne pas lire ». Or, « Les jaloux font les meilleurs cocus » me semble plus qu'autonome, et je ne vois pas comment l'ajout de ce sous-titre éclairerait ce texte de toute manière impossible à lire puisque je n'ai pas jugé nécessaire de l'écrire, à moins bien entendu que l'on considère la présente note comme un long sous-titre à un texte qui, pour faire pendant à l'autonomie du titre, serait lui-même désigné par la formule « Texte à ne pas lire », sans que rien soit enlevé à la profonde vérité de cette maxime selon laquelle les jaloux font les meilleurs cocus.

> *L'objectif premier pour un éducateur*
> *est de former des autodidactes.*
>
> DANIEL DE MONTMOLLIN

MOLIÈRE MIS EN PIÈCES
Abrégé de rhétorique

PETITE HISTOIRE d'un grand pouvoir à cinq composantes : 1) choisir le contenu, l'information à transmettre, 2) organiser le discours (et le plan d'icelui), 3) bien dire les choses, style poétique, 4) s'assurer qu'on retiendra les propos tenus, qu'ils soient mémorisables, 5) tenir compte du non-verbal et autres bruits de la communication.

TRINITÉ MODE D'EMPLOI : première partie, deuxième partie, troisième partie ; point un, point deux, point trois ; petit *a*, petit *b*, petit *c* ; etc., etc., etc.

CATÉGORIES DU DISCOURS, argumentation des origines, essai d'énonciation argumentative, *ethos* énonciateur (qui parle), *pathos* énonciataire (à qui l'on s'adresse), formes de dénonciation, subjectivité de celui qui dénonce.

RECOURS À L'EXPRESSIVITÉ (pronoms personnels, vocabulaire axiologique, ponctuation affective), à l'identité (psychologique, idéologique, sociale, intellectuelle, linguistique), à la scientificité (objectivité présumée de celui qui s'efface à l'écriture), à l'autorité (étalage de connaissances bibliographiques), à l'opinion commune (lieux), à la vulgarisation (blasphèmes).

RAPPORTS DE SUPÉRIORITÉ, d'égalité, de fraternité, de liberté, de solidarité, de complicité, d'infériorité. Perspectives affectives à tonalité réaliste ou neutre, émotive ou lyrique, dramatique ou pathétique, humoristique ou comique, ironique ou laconique.

LOGIQUE D'ARGUMENTATION (structures) par analogie, comparaison, opposition, causalité (de cause à effet / d'effet à cause), déduction (du particulier au général), induction (du général au particulier), sophisme, démagogie, thèse, antithèse et synthèse. Dialectique de la civilisation, illusion référentielle : histoire, récit, mimesis.

NOUVEAU ROMAN JAKOBSON : origines du narrateur héros (autodigestion du personnage principal), témoin (effacement sociolinguistique du personnage homodiégétique, dont l'histoire demeure secondaire), externe ou omniscient (hétérodiégétique, Dieu est absent en tant que personnage).

LA POLYPHONIE PERMET la présence de plus d'un narrateur. « C'est une question de point de vue », raconte le focalisateur dont on apprend l'adoption non médiatisée.

MODALISATION DE L'OBJET FOCALISÉ : degré, mode, précision, quantité, perception, au gré des mots. Descriptions : contexte, environnement, personnages.

DISCOURS RAPPORTÉS, paroles en style direct (effet de réel) ou indirect (effet de flottement, médiation). Monologue intérieur, pensées (accès à l'intériorité), commentaires de type argumentatif (accès à la pensée, aux valeurs, à l'idéologie).

TEMPORALITÉ : structures de l'intervalle temporel (ultérieur, antérieur, simultané), ordre de transposition temporelle plus ou moins conforme à la chronologie réelle (anachronies : analepse, ou retour en arrière ; prolepse, ou projection dans le futur). La durée des événements est fréquemment réorganisée dans le récit : la scène (rapport temps/action le plus réaliste), la pause, le sommaire, l'ellipse.

TEXTE ET REPRÉSENTATION, cycle de traumatismes associés à la petite enfance, aux grandes guerres, au quotidien des amoureux : histoire, récit, catharsis.

THÉÂTRE DES ORIGINES : tragédie, comédie, miracle, mystère, farce, commedia dell'arte. L'énonciation, déléguant successivement l'acte de parole aux personnages mis en scène, devient un spectacle, miroir de conflits, dialogue. Les répliques s'inscrivent dans une structure de communication (évocation de la confrontation, mise en place d'une hiérarchie ou de rapports de force).

TIRADE : la monopolisation de la parole par un personnage dicte le pivot de l'action et dénonce (souvent) le refus ou l'incapacité d'un autre personnage à communiquer.

MONOLOGUE : un personnage se parle à lui-même (conflits intérieurs, commentaire, contre-discours, refus ou incapacité à communiquer).

APARTÉ : un personnage s'adresse directement au public (provocation ou complicité ; effet de distanciation).

CHŒUR : une réplique est dite par plusieurs personnages simultanément (expression collective ou expression de la collectivité, médiation cathartique entre la scène et le public). Rôle de l'hymne national dans *Les belles-sœurs* et *The Deer Hunter* : aplatir l'individu.

COMMENTATEUR : commentaire explicatif ou évaluatif énoncé par une instance (vocale) extérieure à l'histoire.

STRUCTURES DU TEXTE THÉÂTRAL : mise en abyme, théâtre dans le théâtre, unité d'action, unité de temps et unité de lieu (les trois unités du théâtre classique).

Actes, scènes, tableaux ; unité de personnages, de temps et d'espace.

DIDASCALIES (parfois impossibles) : indications sur les conditions dans lesquelles la pièce de théâtre doit (idéalement) être représentée. Parfois plus poétiques que le texte dit.

L'ACTEUR ET SON JEU : le ton et l'intonation, les mimiques et le regard, l'expression du visage, la gestuelle, l'attitude corporelle, les mouvements, les déplacements et les lieux de positionnement, le costume, la coiffure, le maquillage et le masque. Répliques, personnages reproductibles à l'identique, marionnettes.

ESPACE SCÉNIQUE VISUEL (réaliste ou symbolique) : l'accessoire offert à la vue des spectateurs, le décor organisant l'espace de jeu, l'éclairage et les effets de lumière.

L'ÉVOLUTION DE LA SCÈNE : espaces dédiés, espaces scéniques vraiment modulables, bruits ou effets sonores (accentuation d'éléments), musique offerte à l'ouïe des spectateurs (création d'ambiance).

RÉALISME AMPLIFIÉ : mise en scène de conflits entre l'homme et des forces plus grandes que lui. Comédie d'intrigue, de mœurs, de caractères.

TECHNIQUE DE VERSIFICATION, figures du discours, esthétisme et poétique des origines. La poésie utilise tous les types d'énonciation, la littérature au-delà des mots : pieds, vers, métrique, alexandrin, octosyllabe, décasyllabe, césure, hémistiche, autonomie du vers, enjambement, rejet, contre-rejet, rime (pauvre, suffisante, riche, féminine ou masculine), effets rythmiques, rapprochements sémantiques, strophe, tercet, quatrain, disposition des rimes (plates, croisées, embrassées), autonomie de la strophe, structure argumentative, formes fixes, contraintes (formelles, thématiques, structurelles), formes libres, sonnet, quatorze vers, chute du poème.

PORTAGE LA PRAIRIE

On se sent tous, un jour ou l'autre, coupables, mais ce sentiment ne veut rien dire, parce qu'on n'est jamais vraiment coupables. La culpabilité n'est pas une connaissance communicable, mais un sentiment de vie. Il serait plus juste de dire qu'on est responsables de nos actes. Le pauvre type qui a poignardé et décapité Timothy McLean, un jeune Manitobain de vingt-deux ans qui dormait paisiblement dans le siège à côté du sien, dans un autobus Greyhound près de Portage la Prairie à quatre-vingt-cinq kilomètres de Winnipeg, avant de manger ses yeux et une partie de son cœur, par exemple, n'a pas été reconnu « criminellement responsable » par la cour sous prétexte qu'il ne savait pas ce qu'il faisait au moment de détacher la tête du corps de sa victime avant de la présenter aux yeux remplis de terreur des autres passagers de l'autobus le dernier jour de juillet 2008, même s'il se savait atteint de schizophrénie paranoïaque depuis 2005 et qu'il avait consciemment refusé de prendre des médicaments pour contrôler sa maladie mentale. Ce jugement donne froid dans le dos et rappelle du même coup le raisonnement derrière la conception de la célèbre créature du film *Alien* par l'artiste suisse H. R. Giger, selon qui le huitième passager serait encore plus terrifiant sans yeux, parce qu'une bête aveugle est d'autant plus à craindre qu'elle seule sait où elle s'apprête à frapper.

VIE DE COUPLE

La linge à vaisselle lui glissa des mains. Elle ne lui avait pas répondu. Il le ramassa. Elle le connaissait à peine. Il ne s'était pas posé de questions. Elle n'avait pas su quoi répondre, ou n'avait pas eu le temps, ou les deux à la fois. Il essuyait paisiblement la vaisselle. Elle ne pensait pas à lui en termes amoureux. Il ne pensait à rien. Elle avait quand même contemplé l'idée d'accepter. Il avait déjà oublié son invitation. Elle s'imagina avec lui, dans ses bras, etc. Il commençait toujours par essuyer les verres. Elle se demanda si le film serait bon et si lui le serait au lit. Ensuite il s'occupait des assiettes. Elle se demanda surtout s'il paierait pour elle. Puis il passait aux ustensiles. Et s'il lui proposait de payer ? Il gardait les gros chaudrons sales pour la fin. Accepterait-elle ? Par habitude, sans raison particulière. Et si elle acceptait ? C'était une sorte de rituel. Se sentirait-elle obligée de coucher avec lui ? Une méditation. Elle préféra passer sa soirée toute seule, c'était plus simple, moins risqué pour elle. Un minimalisme existentiel pas sans lien avec celui de certains moines bouddhistes. Elle préféra continuer de se plaindre et dire à ses amies qu'elle se sentait seule. Il rangea la vaisselle. Une femme pouvait-elle s'appeler Carole Bouquet? Sa solitude lui pesait. Son regard avait cette assurance spirituelle et sereine de celui qui ne demande rien à la vie, aux dieux qu'il ne prie pas.

Le lendemain matin, on lui servit un déjeuner insipide sur une table de jardin. Il était assis là depuis dix minutes, sans appétit, sans douleur, sans pensées, quand il vit, émergeant des profondeurs d'une ligne de fuite, comme des profondeurs d'un rêve, une femme qui marchait vers lui.

Elle était venue voir s'il était mort, s'il s'était tué pendant la nuit, s'il avait pensé à elle en s'ouvrant les veines, s'il l'aimait pour vrai. Il n'aurait su dire s'il l'avait déçue. Oui. Non. Oui. Non. Oui.

Elle se pencha légèrement, pour éviter une branche, posa une main sur la table et s'assit à côté de lui. Puis elle versa du thé noir dans sa tasse et y trempa ses lèvres. « Pas assez chaud, dit-elle. Dommage. »

Quand elle eut fini, elle se leva et dit : « Je voulais que tu sois le premier à toucher ma peau quand... tu sais... quand je ne serai plus là. »

Elle portait une robe japonaise qu'aucune Japonaise n'aurait portée en public. Son châle de soie rose et les deux fleurs rouges plantées dans les reflets roux de ses cheveux châtains respiraient ce calme propre aux femmes.

Il resta assis, sans mots, sans voix, immobile, aussi lourd qu'une pierre au fond d'un lac, là où l'eau est la plus froide.

Plus on pense de façon objective,
moins on existe.

LUMIÈRE SUR NINIPOTCH

Fils spirituel du polémiste américain Pierce Goldman
(1882–1936), Ninipotch est un antiphilosophe intemporel
aux origines inconnues que les lettrés lisent d'autant
moins qu'il n'exista pas. Néanmoins, littéralement, son
enfance difficile (le mot est faible) et son nihilisme adolescent n'empêchèrent pas son œuvre de surgir au cœur
des débats épistémologiques du *Wiener Kreis* (le cercle
de Vienne).

La mise au monde de l'enfant Ninipotch ne s'est pas
faite sans douleur, bien que nul n'ait souffert ouvertement qu'elle n'eût pas lieu. « La souffrance, écrirait-il plus
tard dans *Les idées du jour,* n'a pas besoin de moi pour
être au monde. » Au lieu de naître, Ninipotch décida de
n'être pas. Cette décision, existentielle malgré les appa-
rences (voir le traité *Du non-être ou De la nature* de Gor-
gias), marqua ce que l'écrivain fantôme de son autobio-
graphie appellera son nihilisme adolescent. Le schéma
actantiel de cette adolescence ne veut rien dire, mais

n'en dit pas moins quelque chose : « Rien, poussé par rien, ne recherche rien pour rien avec l'aide de rien. Par un heureux hasard, rien n'est contre lui, et il n'aboutit à rien. »

C'est aux discussions antimétaphysiques touchant les problèmes de la science empirique, des *Lebensfragen* (questions de la vie) et de la théorie de la connaissance des logiciens Otto Neurath, Kurt Gödel et Hans Reichenbach que l'on doit la première apparition publique de Ninipotch dans « La conception scientifique du monde » (*Wissenschaftliche Weltauffassung*) du cercle de Vienne, paru en 1929. Ainsi, selon les auteurs du manifeste antifasciste, dire « Ninipotch existe », ce n'est pas communiquer une connaissance, mais exprimer un sentiment de vie. Ce sentiment persista tout de même dans les mémoires jusqu'à ce que l'assassinat de Moritz Schlick, le 22 juin 1936, amène le Cercle à se dissoudre. Qui plus est, de conclure le peintre de la vie moderne :

Celui qui s'appelle lui-même réaliste, mot à double entente et dont le sens n'est pas bien déterminé, et que nous appellerons, pour mieux caractériser son erreur, un positiviste, dit : « Je veux représenter les choses telles qu'elles sont, ou telles qu'elles seraient, en supposant que je n'existe pas. »

Inutile d'en rajouter. Tout paraît en effet vide de sens, mais se suffit à lui-même.

Rien, voilà l'ordre.

DERNIÈRES PENSÉES
D'UN CONDAMNÉ

Tant de choses insupportables en ce bas monde. Que dire de plus ? L'erreur est humaine.

Tout évangile qu'on prend pour l'évangile
est un apocryphe, foyer d'un massacre.

MICHEL BUTOR

GITON L'ANTÉCHRIST

C'est un secret bien gardé au Vatican, mais il y eut avant Jésus un premier fils de Dieu envoyé parmi les Philistins pour le salut de nos âmes.

Né Giton, cet Antéchrist (c'est-à-dire, littéralement, celui qui vient « avant le Christ », comme l'antédiluvien avant le Déluge) fut le premier à porter ce nom voué à l'oubli, nom qu'Encolpe, le secrétaire de Pline le Jeune, ne fit entrer dans les mémoires, par l'entremise de la fiction, qu'en le redonnant au jeune amant entretenu par le narrateur de son *Satyricon* (faussement attribué à Pétrone depuis sa publication au début du 11e siècle).

Au lieu de naître d'une mère vierge, ce qui n'était pas encore entré dans les mœurs à l'époque, Giton poursuivit la lignée d'un père cultivateur dont la semence faisait défaut. Ce récit, parce que trop vraisemblable – on s'en est rendu compte après coup –, n'exigeait pas un premier acte de foi assez fort pour fonder une religion.

À huit ans, sa marraine lui donna un aquarium avec trois poissons rouges, un laveur de vitres et un vidangeur (dit le « mange-crottes »), mais l'Antéchrist ne faisait pas de miracles non plus.

Un jour, Giton entra dans la maison en coup de vent et se rendit compte qu'il avait oublié de nourrir ses poissons. Dans une version plus près de la tradition hébraïque, c'est parce qu'il s'est rendu compte de cet oubli qu'il rentre dans la maison en coup de vent. Une troisième version faussement attribuée à Mahomet précise pour sa part que Giton n'est pas rentré chez lui en coup de vent sous prétexte qu'il avait oublié de nourrir ses poissons, mais parce qu'il venait de se rappeler que son père (qu'il n'avait pas écouté) lui avait dit de ne pas trop les nourrir. Peu importe la version, les poissons étaient morts, et l'eau du bocal était devenue brun foncé, quasi opaque. Espérant encore pouvoir les sauver, il changea l'eau – en vain.

PROMENADE ROMANTIQUE

La nuit étendait son ombre inquiétante sur les personnages. Le tableau du maître était d'un fantastique nocturne propice à la suspension de la raison. Les spectateurs restaient donc hors jeu, vicieux et voyeurs suspendus aux lèvres des femmes de la rue. William, ainsi qu'on l'appelait, rêvait de se faire sucer les orteils par la fille de sa voisine, une vieille Roumaine ramollie qui aurait sans doute mieux paru dans l'oblique pénombre d'une fenêtre de l'ami Baudelaire. « La pensée serait-elle possible indépendamment de la conscience de soi ? » pensait le gentleman en vérifiant compulsivement si sa montre de poche se trouvait toujours contre son cœur, mais la réponse ne l'intéressait pas.

Lorsqu'il fait froid dehors et que la nuit est longue, le souvenir signifie que l'on n'est pas seul.

RÉGIS DEBRAY

REMEMBRANCES AVORTÉES
J'ai oublié – II

J'ai oublié d'où je tiens pour certain que les Chinois appellent « *Sharawadgi* » la beauté d'une chose – un jardin dont le dessin complexe évoquerait l'impénétrable mystère de la nature (et non pas l'harmonieux artifice des jardins français, par exemple) – qui semble provenir, selon l'image de Leibniz, d'un pays où les livres s'écrivent par hasard.

*

Le mot « valise » n'est pas un mot-valise. Cette piste écartée, que diable le Narrateur (celui qui dit « je » sans nom) a-t-il pu oublier à l'aéroport de Dublin ? Serait-ce le mot de la fin ? « J'ai oublié, répond Personne, de remonter ma montre au lithium. »

*

Il n'y a pas de Cité. Le droit de vote est une fiction, la démocratie une maladie mentale et les suffragettes des héroïnes imaginaires. Le citoyen n'existe pas. On peut lui faire dire n'importe quoi. Son discours est indirect et sans valeur, son engagement n'engage à rien. Les démagogues l'ont simplement inventé pour enjoliver leurs discours creux. C'est pourquoi j'ai oublié comme plusieurs s'il fallait ou non célébrer le 23 mai 2009 la suspension de l'enquête sur le versement d'un million de dollars à l'épouse de l'ancien président sud-coréen Roh Moo-hyun par un riche fabricant de chaussures, l'homme de soixante-deux ans étant tombé dans un ravin après s'être jeté du haut d'un rocher alors qu'il se promenait en montagne avec un garde du corps près du village de Bongha, sur la côte sud-est du pays, où il avait pris sa retraite. Selon Moon Jae-in, l'un de ses plus proches conseillers, l'ancien président aurait tenté de mettre fin à ses jours après avoir rédigé une note à l'attention de ses proches : « Je ne peux même plus lire de livres. Ne m'en voulez pas. La vie et la mort ne font qu'un. Incinérez-moi. » Grièvement blessé à la tête, il est décédé pendant son transfert vers l'hôpital de Busan.

*

J'ai oublié l'interprétation du poème « Une petite morte » d'Anne Hébert qu'une chargée de cours de l'Université Laval opposa mordicus à la mienne il y a cinq ans. Ma lecture du poème était pourtant d'une clarté à faire jouir un aveugle : la petite morte, c'est la neige de l'hiver qui « s'est couchée en travers de la porte ». Aujourd'hui encore, je ne vois pas comment on pourrait balayer une lecture aussi va-de-soi du revers de la main. La poésie, telle que la concevait Anne Hébert dans *Mystère de la parole*, ne transplante-t-elle pas la réalité dans « une autre réalité, aussi vraie que la première », tandis que la vérité, qui était éparse dans le monde, « prend un visage net et précis, celui d'une incarnation singulière » ? L'hiver devenu *petite morte* n'est-il pas l'illustration parfaite de cette translation du réel en poésie ? Pieds d'enfant sur le sable en tête (pas neige ici pas neige pas ici), la femme de lettres avait raison de nous prévenir : « La poésie est une expérience profonde et mystérieuse qu'on tente en vain d'expliquer. » Le corps du texte. Amen.

*

J'ai oublié la logique à quelques reprises, car le comportement de certains individus ne s'explique pas de façon rationnelle. Le meilleur exemple reposerait entre les deux oreilles de ces types qui, dans les toilettes pour hommes, changent d'urinoir quand ils voient que le dernier pisseur n'a pas tiré la chasse d'eau et qui, après s'être soulagés dans la pissotière d'à côté, repartent tout en « oubliant » de tirer la chasse à leur tour. En général, je ne suis pas pour la peine de mort. Or, dans cette affaire, je ne serais pas contre qu'on batte ces crétins à coups de barre de fer jusqu'à ce qu'ils comprennent qu'il est dangereux de pousser des hommes rationnels à oublier la logique. Et puis non, qu'on les fusille, sur-le-champ, qu'on en finisse.

*

J'ai oublié de vous dire que mon nom est Légion, car Je, chez moi, n'est pas un autre, mais plusieurs.

*

Je n'ai pas oublié la remontée historique des Canadiens de Montréal, revenus de l'arrière 0-5 pour l'emporter 6-5 en fusillade contre les Rangers de New York le 20 février 2008, mais j'en ai oublié ce que j'avais fait pour rater les deux premières périodes tant la troisième était enlevante.

*

J'ai oublié ce qu'on voyait juste avant de mourir avant l'invention du cinéma. Probablement le livre de sa vie. Mais avant l'invention de l'écriture et de l'imprimerie? Probablement le conte ou la chanson de sa vie. Et avant l'invention du langage? Peut-être quelques signes entrecoupés de grognements – mais ce serait déjà du langage. Alors un simple cri. Ou rien du tout. C'était l'époque où les hommes, ne sachant pas ce qu'est la mort, vivaient toujours. Le secret de leur longévité ne s'est perdu qu'avec l'apparition des mots pour le révéler. *L'épopée de Gilga-mesh* raconte précisément cela – l'apprentissage de la mortalité coïncide avec la naissance de la littérature.

*

Les policiers accueillirent le père à son retour du bureau pour lui apprendre la nouvelle. Deux ambulanciers s'occupaient tant bien que mal de la gardienne, en état de choc, en attendant l'arrivée d'un psychologue. « Votre fils s'est noyé dans la piscine », les vit-il dire sans que les sons se rendent jusqu'à lui, comme s'il se trouvait sous l'eau avec son garçon, à l'abri de ce choc nerveux qui pourrait le terrasser d'un coup sec, au lieu de quoi, son esprit s'embrouillant, le père sombra et disparut doucement dans ce constat méticuleux : « J'ai oublié de mettre du chlore hier soir. »

*

J'ai oublié à quel célèbre critique d'art Marcel Duchamp s'adressait lorsqu'il raconta comment lui était venue l'idée du premier ready-made :

— J'ai pensé à un feu de bois. Et j'ai pensé : quand on fait tourner cette roue de bicyclette, seule, ça rappelle un mouvement, le mouvement du feu de bois. Qu'est-ce que l'agréable du feu de bois ? C'est le mouvement du feu dans la cheminée. Et j'ai comparé les deux, je veux dire, dans mon esprit, tout ça se passait dans mon esprit, et j'ai pensé, moi, qui n'avais pas de cheminée, à remplacer ma cheminée par une roue qui tourne. C'est pourquoi j'ai mis ma roue sur un tabouret et, chaque fois que je passais, je la faisais tourner.

Cela dit, René Descartes racontait dans des termes très semblables avoir découvert son célèbre « Je pense, donc je suis » alors qu'il avait vingt-trois ans et qu'il restait enfermé toute la journée à s'entretenir de ses pensées dans une pièce chauffée par un poêle.

*

J'ai oublié à quel animal de l'astrologie chinoise Raymond Queneau attribuait ce calembour mathématique selon lequel le nombre dort.

*

J'ai encore oublié à la maison le travail d'une étudiante à qui j'avais pourtant promis de ne pas l'oublier cette fois-ci. Or, comme un malheur n'arrive jamais seul et que celui des uns entraîne souvent le bonheur des autres, l'étudiante en question s'est cassé un bras hier et n'a pu se présenter à mon bureau pour terminer sa dissertation comme prévu. Mon soulagement n'engage certainement pas ma culpabilité, mais je suis persuadé que l'os de son bras aurait tenu bon si je n'avais pas brisé ma promesse en premier lieu.

*

J'ai rêvé que j'étais un orignal et qu'un autobus voyageur repeint en noir et rouge roulait dans ma direction à toute allure pendant qu'un commando de parachutistes restait suspendu dans le ciel et qu'une bouilloire électrique sortait de derrière mon oreille droite en sifflant un vieil air de Félix Leclerc et que soudain j'étais un castor et non plus un orignal et mes dents n'arrêtaient pas de pousser même si au lieu de ronger du bois je m'attaquais au métal de l'autobus qui s'était arrêté pour permettre aux voyageurs japonais d'admirer le commando de parachutistes suspendus qui peignaient des idéogrammes sur le côté de l'autobus que je ne rongeais pas et c'est alors que d'orignal à castor je devins grenouille et l'autobus char allégorique, mais j'ai oublié de le noter et j'ai dû inventer le rêve que vous venez de lire à la place.

*

J'ai oublié de prendre ma pilule hier et j'ai peur d'être tombée enceinte.

*

Philosophy is not for those who cannot be moved by ideas, not for those insensitive to how intellectual power can touch

147

one's nerves, or how clarity of insight can induce an awakening. Philosophy succeeds by its illumination, offering us fireworks of the inner world, the pure drama of critical thought. J'ai peut-être oublié de mettre entre guillemets cette citation de L. S. Cattarini que j'ai notée dans le hall d'entrée du Yellow Door le 29 février 2008, ce qui est sans conséquence dans la mesure où l'italique et l'anglais la distinguent déjà en tant qu'élément textuel exogène (même s'il m'arrive aussi d'écrire en anglais et en italique), mais la prestation du guitariste virtuose Antoine Dufour valait à elle seule (et largement) le prix d'entrée et le détour que je viens d'emprunter pour en glisser un mot.

*

Mon premier dit que Noël est un jour impair, mon deuxième me rappelle que mon père est mort un 23 juin, mon troisième pense s'acheter une maison à Rimouski, mon tout a oublié sa propre solution.

*

J'ai été Judas, Ubu, Leblanc, Borges, Scandinave, et, même si j'ai oublié que je croyais en la réincarnation dans une de mes vies antérieures, certains affirment que j'ai persécuté le Christ dans l'une d'elles et que j'ai soufflé les *Versets sataniques* à Muhammad et à Salman Rushdie en même temps dans une autre, et on en a fait tout un plat. Moi, je sais bien que c'est faux et, sans vouloir me vanter, je sais aussi de source sûre que ce brasier rougeoyant sans trêve au fond d'un encrier d'ébène qu'est la plume assassine du diable est à des années-lumière de ces pâles arlequinades de mimes ventriloques. À lui seul plus nombreux que mille ombres portées disparues, son nom tentaculaire impose depuis que le monde est monde sa loi parmi les hommes, et en ce nom comme en le mien jamais un masque n'est levé sans que dessous ne s'en révèle un autre.

*

J'ai oublié la cause de la mort de l'acteur qui a empêché Orson Welles de terminer son film *The Deep* en 1970. Je sais qu'il ne lui restait plus qu'une scène à tourner, et que l'histoire se passait entre un jeune couple et un rescapé (qui s'avérait plus tard être un psychopathe meurtrier) sur un yacht en plein Pacifique, mais j'ignore s'il s'agissait d'un scénario original ou si les auteurs de la version australienne de 1989, *Dead Calm,* partageaient simplement une même source avec le grand Welles.

*

Parlant d'Orson Welles, je ne suis sans doute pas le premier à soupçonner William Randolph Hearst d'avoir eu son mot à dire dans l'inconcevable suite de malchances (incendies, vols, disparitions de négatifs, morts subites, bris de contrats, problèmes légaux et autres blocages et interventions des producteurs, jusque dans le montage des rares films qui verront malgré tout le jour dans des versions désorsonwellisées) qui a empêché le réalisateur de terminer comme il l'entendait la quasi-totalité de ses projets cinématographiques à la suite du conflit qui entoura la sortie de *Citizen Kane* en 1941, dont la vie du personnage éponyme, Charles Foster Kane, est largement inspirée de celle du magnat de la presse William Randolph Hearst, lequel aurait donc offert aux studios RKO d'acheter toutes les copies du film dans le but de les brûler. Rien d'étonnant à ce que les journaux de l'empire Hearst aient par la suite entretenu la mauvaise réputation du jeune prodige nuisible et par conséquent « communiste », ce qui le condamna ainsi à passer le reste de ses jours sur la liste noire de Hollywood et d'être mis sous enquête par le FBI pendant le maccarthysme et après. C'est peut-être pour nous mettre sur cette piste que Welles laisse entendre dans son dernier film achevé, *F for Fake,* que son projet initial était de baser sa fiction sur un autre personnage américain plus grand que nature : Howard Hughes*. Le hic, dit Welles, c'est que personne n'aurait cru à cette histoire.

*

* Il n'est peut-être pas inutile de rappeler que les studios RKO avaient entre-temps été rachetés par Hughes en 1948, avant d'être revendus en 1955 et démantelés en 1957.

J'ai oublié de dire ce que j'ai oublié dans le passage qui précède, ce qui compte pour un double oubli. En revanche, j'ai déjà écrit deux fois « j'ai oublié » dans celui-ci, où je n'ai rien oublié du tout.

*

J'ai oublié quel critique de cinéma terminait son article en se demandant « si le comble du vulgaire hollywoodien était de tourner un remake de *Psycho* en couleur, un remake de *Solaris* avec George Clooney ou un remake de *Gloria* avec Sharon Stone ». Ebert ? White ? Daney ?

*

C'est l'histoire du Québécois qui débarque dans une brasserie en Belgique en disant : « Moi il y a deux affaires qui m'écœurent dans la vie : les filles qui me parlent de leur ex, pis le monde qui me disent ce qui les écœure. » Avec pareille introduction, on me pardonnera de mentir en ajoutant que j'ai oublié la suite.

*

Je n'ai pas été surpris quand une belle grande fille dans la jeune vingtaine s'est assise à ma gauche pour assister à l'opéra *Kopernikus* dans le cadre de la Série Hommage à Claude Vivier du Festival Montréal / Nouvelles Musiques. Mais, quand je me suis retourné pour me rincer l'œil, j'ai vu que la belle tricotait en attendant le début du concert et ça m'a tellement soufflé de la voir tricoter ainsi – elle, parmi toutes, et dans ces circonstances particulières – que j'en ai momentanément oublié le vieux monsieur nostalgique qui se masturbait trois rangées devant nous sous son grand coton ouaté des Rolling Stones et sa casquette des Expos. Une fille qui tricote à l'opéra peut-elle ne pas finir vieille fille ? Telle est la question dont l'infatigable flèche en cet instant me traversa l'esprit.

*

J'ai oublié de demander aux autres s'ils entendaient aussi « Station Le Quartanier » au lieu de « Station De Castelnau » en suivant la ligne bleue.

*

J'ai oublié le poids exact de la personne avec qui je marchais sur la rue Sainte-Catherine quand j'ai vu sortir de la bouche d'une jeune passante la monstruosité franglaise « C'est *fucking* laid ». Cette horreur de jugement esthétique ne saurait néanmoins mieux dire ce qu'elle avait à dire qu'en portant sur (et du coup se retournant contre) elle-même, la phrase « C'est *fucking* laid », laquelle est précisément, et nul n'ira le nier, bel et bien fucking *laide*. Un peu comme d'ajouter un graffiti sur un pan de béton déjà saturé. Rien ne sert d'exprimer la laideur par la laideur. Il faut tirer leçon de l'orchidée et profiter du fumier pour sortir du trou.

*

J'ai oublié la langue maternelle de l'auteur du pangramme suivant : «Voix ambiguë d'un cœur qui au zéphyr préfère les jattes de kiwis.»

*

J'ai oublié le nom de code de l'espionne biélorusse qui avait l'habitude de quitter l'interrogatoire de ses ennemis capturés en leur laissant sa carte, sur laquelle on lisait : «Les messages verbaux causent malentendus et délais. svp, mettez-les par écrit.»

*

Verre de scotch à la main et cigarette au bec, j'ai oublié tous mes problèmes de cœur en entendant la sonnerie du téléphone. C'était bien sûr tout à fait banal. Si j'en parle, c'est qu'en décrochant, je n'ai pas dit «Oui», ou «Allo», ni même «Salut ma belle» ou «Salut mon cœur», mais bien : «Ici tour de contrôle. L'avion de Lisbonne décolle dans dix minutes. Visibilité moyenne. Léger brouillard au sol sur cinq cents mètres. Plafond illimité.»

*

Je voulais écrire une histoire remplie d'action avec des hélicoptères Apache* en flammes au-dessus d'une jungle urbaine asphyxiée au napalm et des explosions d'une magnitude à vous libérer une plage pour une semaine de surf en toute tranquillité, mais mon éditeur m'a dit qu'il n'aurait jamais assez de budget pour publier le dixième de ce que j'avais en tête. J'ai voulu changer d'éditeur, mais j'ai oublié de mettre une enveloppe sous mon timbre avant de le mettre à la poste. N'empêche que j'aurais aimé voir la tête du facteur quand il a ramassé mon timbre au fond de la boîte aux lettres. En fait, je l'imagine très bien, mais ça ne me ramène pas mes hélicoptères en flammes et ma jungle urbaine asphyxiée au napalm.

*

Il y a en Chine une piste de ski qui s'appelle « La descente du singe ». J'ai oublié la province et la station exactes.

*

J'ai oublié mon signet avant de partir en voyage et à mon retour j'avais appris à lire les deux tomes de *L'homme sans qualités* avec un tel niveau de concentration que j'arrivais à reprendre ma lecture à n'importe quelle page sans

---

* Modèle AH-64A conçu par Hughes Helicopters et popularisé par la première guerre du Golf. On peut aujourd'hui se procurer le modèle AH-64D (construit par Boeing) pour cinquante-six millions de dollars.

même avoir le livre sous les yeux. C'est à force de perfectionner cette technique que j'ai découvert, presque par accident, le troisième tome que Musil avait en tête le jour de sa mort.

*

J'ai oublié le numéro de la chambre d'hôtel où j'ai joué une inoubliable partie de jambes en l'air avec l'auteure d'une communication sur la surspécialisation universitaire intitulée « Usage proto-féministe du tiret cadratin dans une lettre inédite de Madame de Sévigné ».

*

J'ai passé une seule nuit dans le petit village français de Saint-Mouezy-sur-Éon. J'ai dormi dans une auberge et j'ai fait un drôle de rêve : un singe, coiffé d'une casquette, au volant d'une camionnette. Dans la boîte à gants, il y avait des gants de femme, des gants en peau de femme. Le plus bizarre là-dedans, c'est que je n'avais jamais vu de gants dans une boîte à gants avant ce rêve. Ou alors j'aurai oublié.

RIEN DANS LES MAINS

On voit six hommes sur la photo de l'enterrement de mon arrière-grand-oncle, mécanicien de métier dans l'armée de terre et magicien de salon dans la famille. En réalité, il devait y avoir huit hommes, quatre de chaque côté du cercueil, mais l'angle d'attaque de l'objectif a coupé le rang de droite en deux. Ce sont des porteurs de tombes, des hommes en noir, habillés en long, qui ont l'air d'ombres. C'est l'hiver, on le devine à la neige. Même en couleur, la photo serait en noir et blanc. Tous les hommes en noir portent des gants noirs et un chapeau gris foncé à ruban noir. Avec ces huit gants disparus dans la matière noire des manteaux sombres, le cercueil du magicien flotte tout seul entre les deux haies de ses derniers honneurs.

DÉSINTÉGRATIONS SPONTANÉES

Lancé le 10 septembre 2008 au CERN (Organisation européenne pour la recherche nucléaire), à la frontière franco-suisse, le LHC (Large Hadron Collider) est l'accélérateur de particules le plus puissant jamais construit pour valider des théories physiques, en particulier la recherche du boson de Higgs (dont la découverte permettrait de valider la théorie des cordes) et des particules super-symétriques. Construit dans le tunnel circulaire (27 km de circonférence) de son prédécesseur, le collisionneur LEP (Large Electron Positron), le LHC est d'abord un accélérateur-collisionneur circulaire de protons utilisant la technologie du synchrotron, où deux faisceaux de particules sont accélérés en sens inverse par le champ électrique à très haute fréquence des cavités accélératrices et des klystrons. Insérés dans un même système magnétique supraconducteur refroidi par de l'hélium liquide, les deux faisceaux tournent dans deux tubes jumelés où règne un ultravide. Des aimants additionnels sont utilisés pour diriger les faisceaux aux quatre points d'intersection où des collisions permettront des interactions entre les particules. Coût total du projet : six milliards.

Les protons sont accélérés à des vitesses extrêmement proches de celle de la lumière (ils se déplacent seulement 2,7 mètres par seconde moins vite) et les faisceaux parcourent les 27 km du tunnel environ onze mille fois par seconde. Le flot de données résultant (un peu plus de six cents millions de collisions enregistrables par seconde et par détecteur) est bien au-delà des capacités de traitement et de stockage actuelles, c'est pourquoi les événements produits sont traités en ligne par des processus de déclenchements rapides, qui rejettent les événements jugés peu intéressants avant même que les données ne soient sorties du détecteur.

Comme il a été rapporté dans plusieurs médias, dont le *New York Times* du 29 mars 2008, certaines des collisions provoquées pourraient engendrer la formation de trous noirs microscopiques. Du fait de leur masse, ceux-ci seraient soumis au phénomène d'évaporation des trous noirs prédit par Stephen Hawking en 1975, et disparaîtraient avant d'avoir eu le temps d'engloutir la matière environnante, détail qu'ont évidemment omis de transmettre les médias.

Bien que non scientifiquement fondée, la crainte que des collisions de particules élémentaires donnent lieu à un événement catastrophique n'est pas nouvelle. Lors de la mise en service du RHIC (Relativistic Heavy Ion Collider) du Laboratoire national de Brookhaven dans l'État de New York, le physicien Alvaro de Rujula et deux collaborateurs avaient imaginé un scénario catastrophe susceptible de provoquer la destruction de la Terre, scénario qui s'est avéré n'être qu'un scénario catastrophe comme on aime en raconter aux enfants quand on ne veut pas qu'ils s'aventurent trop loin de la maison.

On a moins parlé – pas du tout, en fait – de la théorie de Sheldon Lee Glashow, Abdus Salam et Steven Weinberg, qui permit d'unifier, entre 1960 et 1967, deux des quatre interactions fondamentales de la physique, soit la force électromagnétique, responsable de la cohésion des atomes, et la force nucléaire faible, qui explique les désintégrations spontanées.

Si les atomes ont, par sort, formé tant de sortes de figures, pourquoi ne se sont-ils jamais rencontrés à faire une maison, un soulier?

MONTAIGNE

NOURRIR L'ILLUSION

Un amateur d'Homère qui avait fait fortune en marchandant à gros prix les noms de domaines en «point com» pendant la première bulle boursière technologique consacra sa retraite anticipée à un projet colossal : entrer dans un logiciel de recomposition aléatoire conçu sur mesure tous les caractères typographiques utilisés par le père de la littérature occidentale dans l'écriture de *L'Iliade* et *L'Odyssée*, la première œuvre commençant par « Chante, Déesse, la colère d'Achille », et la seconde par « Conte-moi, Muse, l'Homme aux mille détours ».

Après avoir entré un à un tous les caractères à raison de *x* par jour pendant *y* années, le jeune milliardaire retraité appuya enfin sur la touche du clavier devant activer la fonction de refonte des deux maîtres-livres. Aveuglé par une confiance inébranlable, convaincu qu'il était d'avoir un nouveau chef-d'œuvre de littérature universelle entre les mains, il envoya le fichier texte à l'imprimeur sans en avoir lu la moindre ligne. L'appât du gain emporta les libraires du monde entier dans son délire et, le jour du lancement venu, les lecteurs en furie exigèrent des explications. On leur avait promis du neuf, mais le livre qu'on leur avait vendu reprenait le texte de *L'Iliade* et de *L'Odyssée* l'un après l'autre à la virgule près.

« Fumisterie », jugea d'une seule voix le monde littéraire. « Mon logiciel n'aura pas fonctionné », pensa le responsable du fiasco. Il avait tort. Son logiciel avait bien fonctionné, recombinant de façon parfaitement aléatoire l'ensemble des caractères tirés de *L'Iliade* et de *L'Odyssée* tout en assurant un résultat lisible qui, sans respecter les règles de vraisemblance ou d'unités à la lettre, respectait au moins la syntaxe et les règles de grammaire de base. Le logiciel, en un mot, avait fonctionné à la perfection, mais le programmeur avait oublié que l'une des probabilités de son processus de recomposition était de retomber sur l'ordre initial, comme si l'on avait brassé un paquet de cartes pendant quatorze heures pour se rendre compte en les retournant une à une sur la table qu'elles se succédaient dans le même ordre, la séquence de l'as au roi de trèfle formant un premier paquet dans le paquet, la séquence de l'as au roi de carreau un deuxième, la séquence de l'as au roi de cœur un troisième, la séquence de l'as au roi de pique un quatrième et les deux jokers un cinquième, les cinquante-quatre cartes de ces cinq sous-ensembles formant le tout du sixième paquet, qui comprend toutes les autres séquences possibles.

L'amateur d'Homère fut traîné en cour (ça se passait aux États-Unis), avec succès qui plus est. Nul n'entendit plus jamais parler de lui sitôt qu'on enterra l'affaire sous quelques camions d'argent. La preuve, c'est que je n'ai moi-même jamais rien su de cette histoire, ce qui rend mon récit d'autant plus étonnant qu'il reprend la réalité jusque dans ses moindres détails alors que mon projet était au contraire d'écrire n'importe quoi, au hasard du clavier. Comme le dirait probablement le logiciel du héros de cette histoire, prendre est pris qui croyait.

Tu es un ange
En route vers une terre de soleil
Et la bonne fortune fond sur toi.

MIKE PATTON

CE SERAIT MAL

Ma fille s'est suicidée ce matin. Le docteur Francœur est venu à son chevet pour confirmer son décès. Ou peut-être pendant la nuit, je ne sais plus. Mes sentiments distingués. Tout cela est sans importance à présent.

Il y a six jours, je l'escortais dans un hôtel chic où un producteur de cinéma hongrois l'avait convoquée par l'entremise d'une agence, mais les choses ont pris un tour imprévu lorsqu'il s'est tourné vers moi pour me proposer une audition après avoir mis le doigt, pour ainsi dire, sur l'inexpérience de ma fille. Puis, contre toute attente, c'est moi qu'ils ont choisie pour leur prochaine production : un drame sur le quotidien d'une sémillante quadragénaire qui tente de chasser l'ennui en multipliant les rencontres avec des inconnus dans un quartier aisé de Budapest.

Mon avion décolle ce soir pour cette capitale enchanteresse que l'on surnomme la perle du Danube. Je suis si excitée que je ne tiens plus en place. Je prépare mon rôle jour et nuit, presque compulsivement (le bon docteur est reparti, non sans m'avoir aidée à entrer dans mon personnage). Évidemment, c'est dommage pour ma fille, sans compter le suicide et tout, même si en fait elle avait seulement accepté de passer l'audition parce que j'avais longtemps rêvé de cette carrière avant de tomber enceinte d'elle, par accident, juste au moment où je m'apprêtais à quitter le service d'escorte pour la gloire et le cinéma.

Ma fille n'a pas pleuré, mais elle n'a pas eu l'air de se réjouir pour moi non plus. Allez savoir. J'ai toujours eu l'impression qu'elle n'était pas de moi. Elle tenait assurément beaucoup trop de son père, à commencer par ce tempérament de bonasse qui me pue au nez. Je l'entends encore verser sa semence en moi comme un mousseux sans classe dans un verre à champagne, renonçant à virilité et dignité en gémissant de cette voix de victime chevrotante dont sa fille a hérité. De quoi vous faire regretter de n'avoir pas contracté plus tôt une infection propre à vous rendre infertile, chlamydia, gonorrhée ou virus du papillome humain.

La pauvre enfant, la gorge plate comme une planche, j'ai dû lui offrir des implants pour ses dix-sept ans. C'était il y a onze mois, mais l'intensité de sa stupéfaction à son réveil est toujours aussi vivante dans mon souvenir : si elle était encore un brin désorientée, c'est qu'en plus de l'anesthésie générale nécessaire à l'opération, j'avais glissé du GHB dans son verre avant de la conduire à la clinique. D'abord, je voulais que la surprise soit totale, puis le docteur Francœur m'avait fait un prix d'ami ; en échange, je l'ai laissé profiter de ma fille pendant que les drogues faisaient encore effet. Qu'il soit remonté plus tard dans sa chambre pour une seconde séance, maintenant que je le revois, déculotté et grimpé sur elle à son réveil, j'avoue que j'ai trouvé ça un peu fort de café : ce n'est pas ce qu'on avait convenu. Quoi qu'il en soit, ma petite puce a dû vivre un réveil saisissant, entre les derniers effets désinhibiteurs du GHB et la verge énergique du bon docteur qui se remettait au travail, revigoré par le réveil de sa patiente et la démesure d'une poitrine 36D fraîchement plaquée sur un corps d'enfant dont l'étroitesse taillée comme un bonzaï par la vertu de l'anorexie semblait promettre – à son insu, peut-être, mais n'est-ce pas là le propre de tout désir et la beauté de tout secret ? – tous les plaisirs du monde.

La vie d'une femme est si riche en imprévus de toutes sortes. J'étais émue d'accompagner ma fille dans cette étape de sa vie, qui sautait d'adolescente nubile à femme sexuellement épanouie. Mais nos enfants ne savent pas toujours apprécier ce que l'on fait pour eux. De la trouver inconsciente ce matin m'a rappelé cette scène postopératoire. Ne manquait que le docteur Francœur, son instrument à la main, sur le point de badigeonner le ventre tiède de ma fille. Tiède, mais pas encore froid, car, même si j'ai dit qu'elle s'était suicidée, ce serait mal la connaître de l'imaginer apte à s'enlever la vie toute seule. Soyons réalistes, ma fille est une incapable de premier ordre, une dépendante affective pleurnicharde qui n'a jamais pu fuguer plus longtemps qu'un mois ou deux, rebuffades affectées derrière lesquelles je savais lire un besoin d'amour et de caresses que je m'empressais de satisfaire chaque fois que les policiers me la ramenaient, faisant fi de ses pleurs et de la résistance passive de son corps crispé comme un extravagant cadavre sous mes doigts et mes baisers – réaction par laquelle elle me signifiait, à sa façon, tout le bien que je lui faisais. Bref, quand je l'ai trouvée à moitié morte ce matin, j'ai tout de suite compris de quoi il retournait.

— Elle respire encore, son pouls semble stable, dit le docteur Francœur, mais je ne la crois pas assez forte pour te suivre à Budapest.

Le docteur savait indéniablement parler aux femmes. C'était le genre d'homme qu'on ne croise en général que dans ces gros romans touffus pour ménagères, remplis de viols et d'adverbes. Il n'avait pas besoin d'en dire plus pour que je voie où il voulait en venir. De toute façon, cette fois-ci, il n'était plus question que je renonce à ma carrière pour cette enfant gâtée. J'avais eu ma leçon.

En temps normal, je me serais contentée de presser fermement un oreiller sur son visage jusqu'à l'asphyxie, mais le bon docteur s'est offert pour lui briser la nuque, alléguant qu'il était un professionnel et savait s'y prendre. Comme il m'offrait en plus de défrayer les coûts de mon séjour en Europe centrale, vu la jouissance dont il me priverait ainsi, je l'ai laissé faire, le remerciant même à ma façon. Du coup, j'ai quand même senti monter en moi l'excitation du docteur, agenouillée au chevet de ma fille pendant qu'il s'exécutait, les petits cris étouffés de celle-ci me parvenant à travers lui comme un courant de plaisir électrique, jusqu'à ce que craque enfin sa nuque.

J'ai adoré la Hongrie, et le cinéma est tout ce que j'avais imaginé avant que naisse ma fille, sinon plus. Cette nouvelle profession me remplit littéralement de joie. Je sens qu'on m'y apprécie beaucoup, pas seulement pour ma belle apparence, mais aussi pour mon talent à tirer de mes partenaires des performances généreuses et spectaculaires. Le bon docteur et moi filons aujourd'hui un bonheur auquel j'ai longtemps aspiré, un bonheur moderne et sans tabou à l'ombre duquel l'existence écourtée de ma fille n'aura été qu'une longue parenthèse.

*Après trois jours sans lire, parler
devient insipide.*

PROVERBE CHINOIS

CHAPITRE LV

Vendredi 19 octobre 2007, journée d'automne agréa-
blement chaude à Montréal, je suis à la Grande Bibliothèque et je lis, j'observe et je note.

Je note ce que je vois, ce qui m'entoure, ce qui n'attire pas l'attention.

J'observe ce que je note et ce que je ne note pas.

Je lis *Under the Volcano* de Malcolm Lowry et *L'espèce
humaine* de Robert Antelme.

Que retient-on au juste d'un livre, de nos lectures ?
Multiplier par quatorze l'infini ne nous en dirait peut-être
pas plus long sur la question du littéraire que le simple
fait qu'il y ait question tout court. Et s'il ne s'agissait
pas de retenir quelque chose, mais d'accepter, humble-
ment, que les choses nous échappent ? Le principe du
sixième paquet, qui sert ici d'exemple en creux, invite
aussi à méditer cela.

Pendant que je faisais mes lectures et que j'écrivais
ceci, j'ai vu passer autour de moi une bonne centaine
de personnages plus ou moins animés, des préposés aux

livres avec leurs petits gants blancs à la Mickey Mouse aux plus tristes badauds ;

1) Un type vulgaire dont l'ordinateur portable faisait autant de bruit qu'un réfrigérateur industriel et qui par-dessus le marché n'arrêtait pas de renifler le même filet de morve qui lui coulait du nez ;

2) Une Chinoise à qui j'ai demandé l'heure et qui m'a répondu en faisant quatre avec ses doigts ;

3-4) Un jeune couple d'étudiants dont je n'entendais que le garçon, lequel expliquait un problème de physique à sa silencieuse amie, qui dormait d'ailleurs avant que celui-ci n'arrive quelques minutes plus tôt ;

5-6) Une femme avec un chien qui est venue s'ins-taller juste à côté de moi pour feuilleter très rapidement un livre dont je n'ai pas eu le temps d'identifier le sujet, surtout qu'un employé est passé pour ranger les livres qui traînaient sur la table peu de temps après ;

7) Un jeune qui cherchait des revues de moto en clo-pinant ;

8-9) Un autre jeune couple d'étudiants dont le garçon était plus bruyant que la fille – à peine le temps de s'ins-taller qu'ils étaient déjà repartis (peut-être à cause du mauvais œil que je leur ai jeté, mais j'en doute) ;

10) Une cégépienne qui prenait grand soin de souli-gner ses notes de cours au marqueur jaune sans jamais dépasser ;

11) Un vieil homme qui se jouait dans le nez avec une énergie étonnante ;

12) Un chauve à lunettes avec un plein panier de livres qu'il consultait rapidement, aucun des livres qu'il avait trouvés n'étant celui qu'il lui fallait : ni les *Œuvres complètes* d'Estienne de La Boétie, ni *Montaigne et son temps* de Géralde Nakam, ni *Faites vos jeux avec Commodore 64* de Marc Ducamp et Pierre Schaeffer, ni *La belote, carte à carte : méthode complète du jeu de belote* de Daniel Daynes, ni *Nouvelles du racisme ordinaire* de Daniel Zimmermann, ni *D'Oultremer à Indigo* de Blaise Cendrars, ni *Vaudeville et comédie* de Georges Courteline, ni *Raconteur d'histoires* de Didier Daeninckx, ni *La nuit démasque* de Stanley Péan, ni *Pièces en un acte* de Sacha Guitry, ni *Cinéma et production de sens* de Roger Odin, ni l'édition critique des *Écrits* de Paul-Émile Borduas ;

13-14) Un couple d'Espagnols qui a bien dû faire quarante fois le tour de la table (*hablándose en español*), peut-être parce qu'ils savaient que je suis taureau sans toutefois savoir que nous, taureaux, ne croyons pas à l'astrologie ;

15) Un homme dans la quarantaine qui lisait une BD ultra-violente ;

16) Un autre type qui reniflait à toutes les trois secondes ;

17) Une cégépienne un brin boutonneuse qui rédigeait une dissertation explicative sur *En attendant Godot* de Beckett en pianotant sur son iBook ;

18) Une femme voilée qui a éternué pendant que j'en étais à lire ce passage du roman de Lowry : « *Good-bye,*

full stop. Change of paragraph, change of chapter, change of worlds – » ;

19) Un Noir de taille moyenne qui me faisait penser à l'inspecteur Colombo en cherchant quelque chose dans ses huit poches – manteau et pantalon combinés –, et qui à la relecture de ces notes prises sur le vif me fait plutôt penser au système de permutation des seize pierres à sucer que Molloy dans *Molloy* de Beckett traînait dans ses quatre poches ;

20) Un homme dans la force de l'âge qui s'étonna de trouver « Tremblay, Réjean » dans l'index supplémentaire de l'*Encyclopedia of Literature in Canada* (on comprend qu'il devait plutôt s'attendre à « Tremblay, Michel ») ;

21) Un vieux poète portant casque d'écoute, lunettes et moustache, et qui cognait des clous devant son portable ;

22) Une jeune femme un peu distraite à qui j'avais dit qu'on pouvait traverser la rue (selon le feu de circulation) en la croisant quelques minutes plus tôt sans savoir qu'on traversait tous les deux la rue Berri pour se rendre à la Grande Bibliothèque (où nous ne nous sommes même pas réadressé la parole) ;

23) Un ancien animateur de la défunte chaîne culturelle de Radio-Canada qui commettait l'impardonnable crime de souligner au marqueur rose indélébile dans l'exemplaire de la bibliothèque cette phrase de *Neige noire* d'Hubert Aquin : « Enfuyons-nous vers notre seule patrie, que l'on n'atteint qu'en perdant toute identité » ;

24) Un intellectuel au cheveu rare plongé dans la lecture d'un livre de Margaret Atwood intitulé *The Door*;

25-26) Un spécialiste de Schopenhauer et un amateur de haïkus discutant de l'anecdote suivante : on demanda à Socrate d'où il était; il ne répondit pas « D'Athènes », mais « Du monde »;

27) Une grosse femme arborant un afro de Blanc – elle ne lisait pas, elle soupirait dans sa robe fleurie couverte d'un manteau vert acheté dans les années quatre-vingt, un peu avant qu'elle ne devînt sans-abri ou folle ou les deux, dans cet ordre ou dans l'autre, ou encore en même temps, sans-abri parce que folle, ou folle parce que sans-abri, soupirant, marmonnant, parlant toute seule; elle ne lisait pas, elle scrutait des sachets de ketchup, qu'elle tenait dans ses mains comme des cartes de poker;

28-29) Deux joueurs d'échecs hypertendus qui faisaient penser à ceux que l'on retrouve à la cent soixante-quinzième seconde du très joli film d'animation de l'ONF *Madame Tutli-Putli*;

30) Un mordu des pages roses qui tomba endormi sur le proverbe : « Quand on veut vouvoyer son chien, on dit qu'il a l'air sage »;

31) Un jeune ado avec une casquette des défunts Expos qui tuait le temps en feuilletant un livre sur les plus grands joueurs de hockey de tous les temps (avec Maurice Richard, Gordie Howe, Jean Béliveau, Wayne Gretzky et Mario Lemieux en couverture);

32-33) Un contrebassiste et une chanteuse de jazz qui avaient raté leur autobus de l'autre côté de la rue

Maisonneuve et qui regardaient *Jules et Jim* sur un portable avec une seule paire d'écouteurs en attendant le prochain départ d'un Greyhound pour Boston ;

34-35) Un prof de cinéma à Concordia qui demanda à son étudiante (qu'il rencontrait ici tout à fait par hasard) quel était le comble du vulgaire hollywoodien : refaire *Psycho* d'Alfred Hitchcock en couleur, refaire *Solaris* d'Andreï Tarkovski avec George Clooney ou refaire *Gloria* de John Cassavetes avec Sharon Stone ? ;

36) Un Polonais qui traduisait depuis l'anglais une phrase de Joseph Brodsky qui dit à peu près : « Il y a des crimes plus graves que de brûler des livres, et l'un d'eux est de ne pas les lire » ;

37-38) Un couple comme on en voit partout, qui, comme diraient certains romanciers d'un autre siècle, « conversait avec la candeur des idiots » ;

39) Un étudiant étranger sur le point de rentrer chez lui qui essayait de faire le tour des gens qu'il avait croisés, rencontrés, connus, fréquentés, évités, charmés, déçus, quittés, perdus de vue, oubliés, recroisés et abandonnés au cours des derniers mois en dressant une liste de pays : « Albanie, Algérie, Allemagne, Angleterre, Australie, Autriche, Belgique, Bulgarie, Cambodge, Cameroun, Canada, Chili, Chine, Danemark, Égypte, Espagne, États-Unis, Finlande, France, Gabon, Grèce, Guinée, Guyane, Hongrie, Irlande, Italie, Japon, Mexique, Moldavie, Mongolie, Norvège, Pologne, Portugal, République tchèque, Roumanie, Russie, Salvador, Sénégal, Suède, Suisse, Syrie, Togo, Turquie, Ukraine » ;

40) Un camarade du précédent qui faisait le ménage de sa boîte de courriel en faisant glisser ses doigts sur l'écran de son iPhone tout en s'imaginant incarner ainsi ce que les Allemands appellent le *Fingerspitzengefühl* – un sixième sens qui consiste à saisir une situation;

41) Une chargée de cours à l'UQAM dont l'exemplaire acheté au Colisée du livre de *L'emploi du temps* de Michel Butor venait de perdre le cahier commençant à la page 53 et se terminant à la page 82;

42) Un journaliste du *Devoir* qui consultait à ma droite, de l'autre côté de la table, un manuel de rhétorique dont les procédés dépassaient largement les études littéraires pour s'appliquer à la rédaction de n'importe quel texte argumentatif, de l'article sportif sur la profonde léthargie d'un attaquant de la Sainte-Flanelle à la thèse de doctorat sur la culture de superbactéries capables de digérer des déchets radioactifs;

43) Un usager sans signes distinctifs qui interpella une jolie préposée derrière moi sous prétexte qu'il ne trouvait pas sur les rayons la biographie du physicien néo-zélandais Ernest Rutherford of Nelson, lequel ne croyait pas avoir fait de découverte scientifique véritable tant qu'il n'arrivait pas à la traduire en langage courant;

44-47) Quatre joueurs d'échecs représentant le Cégep John Abbott, l'Université McGill, l'École Polytechnique et le Collège Stanislas, se disputant pour savoir si l'étiquette recommande ou non de ne pas littéralement faire tomber le roi du perdant à la fin d'une partie et, si jamais

l'étiquette le permettait, pourquoi cette fascination vic-
torieuse pour le bruit de la pièce de bois qui rebondit
sèchement sur la surface de l'échiquier ne s'applique-t-
elle pas à la prise des autres pièces, reines, valets, fous,
tours ou pions ;

48) Une autiste qui collait son front sur la table en
répétant d'une voix nasillarde – et dans cet ordre précis :
que la résistance se mesure en ohms ; qu'une calorie
(4,185 joules) équivaut à la quantité de chaleur nécessaire pour élever d'un degré Celsius la température d'un
gramme d'eau à quinze degrés Celsius sous la pression
atmosphérique normale (moyenne de mille treize hec-
topascals au niveau de la mer) ; que dans un triangle rec-
tangle le carré de l'hypoténuse est égal à la somme des
carrés des deux autres côtés ; que la définition actuelle
du mètre (« unité de longueur [symb. m] égale à la distance parcourue dans le vide par la lumière pendant
1/299 792 458 de seconde ») n'a été déterminée qu'à la 17^e
Conférence générale des poids et mesures en 1983 ; que
l'intensité se mesure en ampères ; qu'une joule équivaut
au travail produit par un newton dont le point d'applica-
tion se déplace d'un mètre dans la direction de la force ;
et que « U = R × I » signifie que dans un circuit électrique
la valeur de la tension (U) est égale à la valeur de la résistance (R) multipliée par l'intensité (I) ;

49) Un sosie de Renaud (à l'époque où il chantait
« Les aventures de Gérard Lambert ») dont le iPod nano
rouge et noir *Designed in California* et *Assembled in China*

reproduisait sans discrimination les vibrations numérisées de « La ballade des gens qui sont nés quelque part » de Georges Brassens ;

50) Un lecteur de télégrammes venu directement d'Alabama pour me lire le savoureux « An Evening in the Bookstore » de ma correspondante américaine Jenny Junie 'Leventh, auteure d'histoires inédites dont je traduis ici imparfaitement « Une nuit dans la librairie » :

Par une très froide soirée de février, deux jeunes filles délicieusement follettes avaient décidé d'aller à la librairie pour rattraper un peu de lecture. Elles avaient erré dans un coin à la recherche d'un endroit pour s'asseoir et lire leurs livres, mais toutes les meilleures places étaient prises. Dans leur capricieux emportement, elles décidèrent qu'il serait peut-être plus approprié d'aller dans la section pour enfants et de s'asseoir sur les petits bancs qui avaient l'air invitants et gentils. Or, l'allée des livres d'histoires se trouvant devant elles, elles décidèrent qu'elles s'assiéraient plutôt là.

Une fois que les jeunes filles furent assises sous les arbres fictifs, l'une d'elles eut une idée merveilleuse : « Quel plaisir ce serait de passer la nuit dans un endroit pareil ! » dit Plip à Plop. « Oui, ce serait tout un plaisir ! Mais comment va-t-on réussir un tel coup sans se fourrer dans le pétrin ? » demanda Plop à Plip.

Les filles réfléchirent, et ourdirent, et fomentèrent, jusqu'à ce qu'elles eussent un plan qui parut applicable.

« Attention clients, il est maintenant 22 heures 45, la librairie fermera dans quinze minutes, veuillez faire vos

dernières sélections et passer une merveilleuse soirée »,
dit une voix nasillarde à travers les haut-parleurs de
l'interphone.

— Bon, dit Plop, voyons si ce plan tient la route.

— Bien, dit Plip, je vais me cacher dans cette poubelle dans le coin.

— OK. Et moi, je vais me cacher sous ce grand sofa
moelleux. Tu peux pas me voir là-dessous, n'est-ce pas ?
demanda Plop.

— Non, dit Plip, c'est parfait. Mais ne bouge pas avant
que tout le monde soit sorti de la librairie.

La soirée tirant à sa fin, et les employés s'apprêtant à
partir, les filles attendirent tranquillement. Elles virent
bientôt s'éteindre toutes les lumières et elles entendi-
rent le cliquetis de la porte qu'on verrouille quand tout
le monde fut sorti. Elles attendirent encore environ dix
minutes, puis Plip sortit de sa poubelle en regardant
lentement autour d'elle pour confirmer que plus personne n'était là.

— Je pense qu'on peut sortir, Plop, dit Plip.

— Tant mieux, mon pied gauche est engourdi, dit
Plop, et je commençais à avoir des crampes dans les
jambes.

Plop commença à frapper son pied au sol pour chasser
les fourmis, puis elle rampa de sous le sofa.

— Je ne peux pas croire que personne ne m'a remar-
quée là-dessous, dit-elle, mon ventre faisait un boucan
monstre tellement je suis affamée.

— Ça va, dit Plip, ils ont plein de viennoiseries et de

biscuits dans le café, on peut faire notre propre mochaccino et tout ce qu'on veut d'autre là-bas.

— Oh là là, super, dit Plop. Je veux un expresso. Comme ça, on pourra être excitées et rire.

— Oui, mais il faudra d'abord qu'on trouve comment faire fonctionner ces machines, lui cria Plip de l'autre côté du magasin, où elle faisait une ronde pour s'assurer qu'elles ne couraient aucun danger d'être attrapées ou d'avoir des ennuis.

Elles étaient là, enfermées à clé dans la librairie avec toutes ces choses à boire et manger, et des livres à lire, et des fauteuils merveilleusement confortables, et le superbe emplacement du présentoir de livres pour enfants... Elles ne disposaient que de quelques heures pour absorber toute l'information qu'elles pourraient tirer de n'importe quel livre. C'était presque un rêve devenu réalité. En fait, *c'était* un rêve devenu réalité.

Pendant la première heure, elles burent des produits caféinés et mangèrent. Elles essayèrent tellement de choses différentes qu'elles eurent toutes deux mal au ventre, jusqu'à ce qu'elles trouvent le livre de remèdes maison qui leur montra comment en guérir et qu'elles fassent bon usage de cette nouvelle information. En un peu moins de trente minutes, leurs maux de ventre étaient de l'histoire ancienne. Quel livre merveilleusement utile c'était ! Il était alors une heure et demie, déjà, et il leur en restait seulement sept avant d'avoir à retourner se cacher, puisque les employés rentreraient à huit heures pour commencer leur journée. Mais tout le monde sait que sept heures, c'est bien assez pour faire un tas de lectures et de niaiseries.

— Je pense que je veux lire tous les livres de Junie B. Jones que je n'ai pas encore lus... Je me fiche que ce soient des livres pour enfants, dit Plip, ils sont fantastiques !

— Bien, dit Plop, je vais lire tous ces livres.

Plop avait à côté d'elle une pile de livres sur tous les sujets imaginables. Elle voulait apprendre des choses aussi bien qu'être divertie, tout comme Plip, même si les priorités de Plip différaient de celles de Plop en ceci qu'elle voulait lire des livres pour enfants et ricaner en premier, avant de passer aux affaires sérieuses et factuelles, et toutes ces bonnes choses nourrissantes pour l'esprit.

Tout au long de la nuit, les filles apprirent des faits historiques, étudièrent différentes langues, lurent de la science-fiction et des contes irlandais, firent des études de psychologie, assimilèrent les principes d'interprétation de l'Actors Studio, s'initièrent à l'architecture, comprirent la loi de la gravité, et ainsi de suite, jusqu'à ce qu'elles finissent par voir une auto se garer dans le stationnement.

« Oh-ho. »

Il y avait tout un fouillis dans le coin du café où elles avaient expérimenté avec des chocolats viennois, des gâteaux et des biscuits.

Le temps était passé en un éclair et elles ne s'étaient

même pas rendu compte qu'il était l'heure de rentrer pour les employés. Elles paniquèrent et retournèrent en courant dans leurs cachettes respectives.

Le gérant tourna la clé dans la serrure et entra dans la librairie. Dès qu'il passa près du café et découvrit le désordre, il piqua une colère, convaincu que les employés de la veille étaient responsables de ce merdier. Il se mit à parcourir le reste du magasin et, tandis qu'il s'approchait des fauteuils confortables, il aperçut un bas vert rayé qui dépassait d'un des fauteuils au milieu de l'allée. Dans le bas se trouvait un pied, et au bout de ce pied que le gérant n'allait certainement pas se mettre à chatouiller se trouvaient cinq orteils qui rappelaient à leur façon la taille échelonnée des quatre frères Dalton.

L'air devint lourd, et Plip et Plop sentirent qu'une colère s'abattrait bientôt sur elles comme un orage inexorable.

« Qu'est-ce qui se passe ici ? » demanda le gérant à Plop, qui réfléchit à toute vitesse et répondit : « Vos employés m'ont enfermée ici avec mon amie. On a eu peur d'y passer. » En entendant les paroles de Plop, Plip sortit de sa cachette et corrobora le bobard : « C'est vrai, dit-elle en s'adressant au gérant. En plus, ils n'ont même pas fait le ménage avant de partir. »

Le gérant, abasourdi par ce qu'il entendait, dit, l'air songeur : « J'avais remarqué un relâchement dans leur travail ces derniers jours. »

« Oui, renforça Plip, je crois que vous auriez besoin d'une nouvelle équipe. Je n'ai jamais été enfermée toute une nuit dans un magasin auparavant. Vous êtes chanceux qu'on ne vous traîne pas en cour. On n'a pas demandé à être enfermées dans une librairie pour la nuit, nous. »

Plip essayait ainsi d'enfirouaper le gérant. Elle avait vu plusieurs épisodes de Bugs Bunny, grâce à quoi elle avait appris l'agréable art du leurre, c'est-à-dire à monter des bateaux, à faire tomber les gens dans toutes sortes de panneaux.

« Oui, et j'apprécierais que vous nous laissiez sortir immédiatement, » ajouta Plop, qui savait aussi monter des bateaux.

« Je suis désolé pour les actions de mes employés, plaida le gérant pour sa défense. Ne nous traînez pas en cour, s'il vous plaît. Ne pourrions-nous pas faire de cette histoire notre petit secret à nous ? »

« Je ne sais pas, fit Plip. Mes parents seront sûrement traumatisés pour le restant de leurs jours de m'avoir imaginée pendant toute la nuit disparue, enlevée, violée et laissée pour morte dans un boisé peu fréquenté avec la gorge tranchée d'une oreille à l'autre ou pire encore. »

« Enfin, concéda Plop, on aurait peut-être quelques demandes. »

« Oui, poursuivit Plip en pointant une pile d'ouvrages gargantuesque derrière laquelle elle dissimulait un sourire sardonique, et l'une de ces demandes est d'obtenir tous ces livres gratuitement. »

« Mais tout à fait. Mais, mais, mais bien sûr », bégaya le gérant en empruntant inconsciemment le ton conciliant et obséquieux de celui qui voit la situation tourner à son avantage – bateau, bateau et re-bateau.

Les deux amies lisaient la peur dans ses yeux. Elles se payaient sa tête et il ne s'en rendait même pas compte. Après de brèves négociations et un soupçon de manipulation de leur part, les filles sortirent de la librairie avec chacune une grosse boîte remplie de livres, quatre biscuits géants, deux signets en plastique avec des chatons qui brillent dans le noir et quelques kilos de Columbia Collector Bio Doubleplus, café colombien équitable de première qualité (arôme parfumé, bon corps, légère touche de noisette).

Le gérant de la librairie s'était fait avoir, tandis que les deux amies avaient passé ensemble le meilleur moment de leur vie. Elles éclatèrent de rire dès qu'elles se retrouvèrent, les larmes aux yeux, dans l'auto de Plip.

« C'est le plus beau coup que j'aie jamais vu », dit Plip en riant comme une folle.

« Ah, fit Plop, plus sérieuse. Je me sens quand même un peu coupable. Ce pauvre type qui a dû payer nos folies de sa poche... »

Elles quittèrent le stationnement en écoutant un CD de Tom Petty que le grand frère de Plip lui avait prêté et elles n'eurent pas besoin d'en reparler pour savoir que ce serait une de ces vieilles histoires de jeunesse qu'elles pourraient raconter à leurs petits-enfants dans un lointain futur. En attendant, ce serait leur blague secrète à elles, ciment moqueur de leur amitié durable et définitive.

« C'est tout », commenta l'étranger, qui avait lu le télégramme en se faisant si bien oublier que j'ai sursauté sur ma chaise en le voyant sortir de l'histoire ;

51-69) Pendant que le type me lisait le télégramme, une petite foule de dix-neuf personnes s'était peu à peu formée autour de nous pour s'abreuver des mots anglais – « *Words*, disait Virginia Woolf, *English words!* » – de mon amie Jennifer Morris, que j'ai surnommée Jenny Junie 'Leventh, parce qu'elle est née le 11 juin, et quand il a eu terminé de lire, les gens ont applaudi ;

70-73) Une employée qui courait après trois enfants qui s'amusaient entre les rayons avec un chariot sur lequel était posé un petit panneau portant sur ses deux faces l'inscription :

S.V.P. NE REMETTEZ PAS
LES DOCUMENTS SUR LES RAYONS.
MERCI DE VOTRE COLLABORATION.

74-75) Des frères siamois passant pour un seul individu tout ce qu'il y a de plus normal, jusqu'à ce qu'on se rendît compte que le frère qui contrôlait la moitié gauche de leur corps lisait la page de gauche tandis que celui qui en contrôlait la moitié droite lisait la page de droite d'un catalogue d'exposition du Musée national d'Argentine, où l'on présenta en 1999 l'exposition *Vibrisses* de l'artiste nippon Kobayashi Matsuo – en s'approchant un peu du livre, on devinait qu'il s'agissait de jeux d'imbrications de poils de moustaches de chat de différentes tailles dont l'agencement donnait, un peu à la manière des tableaux de Giuseppe Arcimboldo, l'illusion de représenter divers animaux, profils de célébrités ou reconstitutions d'assassinats célèbres (César, Gandhi, les frères John Fitzgerald et Robert Kennedy, Nicolas II avec sa femme et leurs enfants, Luther King, Lennon, Lincoln et Malcolm X) ;

76) Un lecteur distrait qui glissa sur la phrase : « La philosophie devrait se garder de vouloir être édifiante » en consultant les *Œuvres complètes* de Friedrich Hegel ;

77) Une belle Flamande dont le parfum lilas laissait présumer qu'elle traînait dans son sac à main un livre du photographe français Eugène Atget, qui sut capter au tournant du xxᵉ siècle, usant du grand format et d'une technique très simple, l'atmosphère magique d'un Paris souvent désert, presque irréel ;

78) Un lecteur perplexe qui interrompit sa lecture d'un roman de l'auteur américain Chuck Palahniuk à la phrase : « *You do not ask questions* » ;

79-82) Un quatuor féministe retraçant à travers les livres le parcours pathétique de Linda Susan Boreman, alias Linda Lovelace, vedette du film « porno chic » de 1972 *Deep Throat*, qui contribua selon de nombreux observateurs à la libération des mœurs aux États-Unis. Symbole sexuel de la femme libérée, elle fut exploitée et par les producteurs du film et par son mari, lequel la força d'ailleurs à participer au film en la menaçant physiquement en plus d'empocher son maigre cachet de mille deux cent cinquante dollars (le film en aurait rapporté plus de cent millions) ; doublement exploitée, elle se retourna contre l'industrie du cinéma pornographique, pour se voir encore une fois exploitée, diverses ligues féministes se servant alors de son témoignage et de sa renommée pour vendre leurs livres sans lui verser le moindre sous. Née le 10 janvier 1949, elle est décédée des suites d'un accident de voiture, le 22 avril 2002, à l'âge de cinquante-trois ans. Elle est morte pauvre, mais, dans les années soixante-dix, sa popularité était telle que le journaliste du *Washington Post* Bob Woodward s'en inspira pour surnommer « Deep Throat »* son principal informateur dans l'affaire du Watergate ;

83) Un ventriloque obèse qui faisait feuilleter par sa marionnette les *Chroniques impertinentes sur les tabous de notre langue,* de Frèdelin Leroux fils ;

84-87) Quatre vieilles dames qui jouaient au bridge, la plus rusée du groupe tentant le coup de Merrimac en faisant semblant de rien ;

88-93) Un proxénète en bris de probation qui essayait d'échapper à l'attention du gardien de sécurité et des trois enquêteurs de la brigade des mœurs qui l'accompagnaient en feignant de lire l'article de Daniel Le Guen que le jeune comédien au chômage qui était assis à sa

* Lire Carl Bernstein et Bob Woodward, *All the President's Men*, New York, Simon & Schuster, 1974. Précisons au passage que le livre traite du scandale lui-même, alors que le film du même titre que Robert Redford réalisera en 1976 racontera plutôt le processus de l'enquête qui a mené au scandale.

place quelques minutes plus tôt avait laissé sur la table avant de disparaître ;

94) Un touriste chypriote qui apprit en lisant par-dessus l'épaule du proxénète que l'article de Daniel Le Guen établit un fascinant parallèle entre le personnage de Bianca dans *Othello* de Shakespeare et celui du vieux domestique dans *Le malentendu* d'Albert Camus, paral-lèle d'autant plus surprenant qu'aucun des deux per-sonnages ne semble important à première vue, Le Guen insistant sur cet effacement pour montrer comment ces deux personnages à qui l'on n'adresse pas plus la parole qu'ils ne la prennent eux-mêmes, figures rébarbatives errant en marge de l'action sans y prendre part, obser-vant les autres sans que ceux-ci les remarquent, com-ment Shakespeare et Camus, en somme, utilisent leurs deux figurants fantomatiques pour donner, par rico-chet, un soupçon de matérialité aux hantises métaphy-siques de leurs personnages plus parlants (dans les deux sens), par divers jeux de comparaison, de contraste et de réverbération ;

95) Un doigt de femme qui caressa distraitement le dos de maints volumes avant de s'arrêter sur *Un singe à Moscou*, de David Homel ;

96-97) Un technicien informatique venu à la rescousse d'une usagère un peu confuse devant son écran, laquelle lut, incrédule, sur le badge d'identification de son sau-veur : FRANÇOIS « DÉPANNEUR EN CHEF, CHIROPRATI-CIEN EN TIC, SURVEILLANT APPLICATIONS, ADMINIS-TRATEUR SAUVEGARDES, NAVIGATEUR AFFAIRES, CONFI-

GURATEUR RÉSEAU, HOMME À TOUT FAIRE MATÉRIEL, PORTIER INVENTAIRE, REQUIN, DÉFENSEUR BUDGET, SENSITIF INFRASTRUCTURE, CONTRÔLEUR AÉRIEN, CENTRE D'ASSISTANCE BUREAU À DOMICILE, GARDIEN DE LA PAIX RÉSIDENT, SPÉCIALISTE RITUEL EN THÉ, SUPPORT MORAL » PILON ;

98) Hubertrivix le druide en personne, devant moi, me tenant à peu près ce langage : « La vie d'un homme se divise comme les cinq mouvements d'une pièce symphonique :

I.   Prélude (*allegro*)

II.   Ouverture (*vivace*)

III.   Développement (*andante*)

IV.   Variations (*scherzos*)

V.   Finale (*adagietto*) » ;

99) Une armoire à glace qui regardait un grand livre d'images en bâillant ;

100) Une autre jeune femme dont je n'ai rien à dire, sinon qu'elle portait un béret et une jupe.

Quand j'ai eu fini mes lectures, je suis rentré chez moi et j'ai fumé un cigarillo en ouvrant *Je me souviens* sur une phrase que l'auteur aurait pu prononcer au hasard le matin même : « Je me souviens que Voltaire est l'anagramme d'Arouet L[e] J[eune] en écrivant V au lieu de U et I au lieu de J. »

Perec aurait eu soixante et onze ans.

Le chapitre LV est maintenant un chapitre LU.

LES VOIES DE L'AMOUR
SONT IMPÉNÉTRABLES

Le film d'horreur *Cleaver* est une fausse fiction. Les nombreux fanatiques de la série américaine *The Sopranos* (1999–2007) y reconnaîtront néanmoins l'histoire de revanche mafieuse imaginée par Christopher Moltisanti (interprété par Michael Imperioli, d'où le nom du personnage métafictionnel Michael « the Cleaver » porté à l'écran dans l'écran par l'acteur au deuxième degré Jonathan LaPaglia), le neveu d'Anthony John « Tony » Soprano (interprété par James Gandolfini).

Mêlant les lieux communs du *slasher film* à la *Halloween* aux archétypes cinématographiques associés au milieu interlope italo-américain des *Godfather* et autres *Goodfellas*, *Cleaver* (qui signifie « couperet de boucher » en anglais) devait raconter l'histoire d'un jeune mafioso (Michael « the Cleaver ») assassiné par son boss (Salvatore « Sally Boy », interprété par Daniel Baldwin) après avoir appris que celui-ci avait couché avec sa fiancée. Démembré puis jeté aux ordures aux quatre coins du New Jersey, le mort devait reprendre vie et se venger en fendant la tête du chef de la Famille avec le couperet de boucher qui remplacerait sa main droite à la fin du film.

Comme dirait un sosie de George « Double Vue » Bush en train de tomber du quatre-vingt-quatorzième étage du World Trade Center : « Jusqu'ici, tout va bien. » Le hic, c'est qu'au moment de visionner le film en avant-première (voir le deuxième épisode, intitulé « Stage 5 »*, de la seconde partie de la sixième saison), certains proches de la Famille se sont entendus pour voir dans le personnage de Salvatore une caricature à peine déguisée de Tony Soprano. En effet, dans la réalité des *Sopranos*, Chris avait ouvertement soupçonné Tony d'avoir couché avec sa fiancée Adriana (interprétée par Drea de Matteo) avant de monter son projet de film. Du coup, la vengeance au cœur de *Cleaver* apparaît comme la révélation publique du fantasme de meurtre bien réel secrètement entretenu par Chris à l'endroit de son oncle Tony. Fausse fiction, donc, puisqu'il s'agit seulement d'un film dans la « réalité » imaginée par les scénaristes de la fiction des *Sopranos*. Ceux qui se souviennent de leurs cours de mathématiques élémentaires penseront peut-être à

* Outre l'allusion aux plateaux de cinéma liés à la réalisation de *Cleaver*, ce « Stage 5 » fait aussi référence aux cinq stades du modèle psychologique d'Elisabeth Kübler-Ross : 1) le déni, 2) la colère, 3) la négociation, 4) la dépression, 5) l'acceptation. C'est dans ce même épisode que l'un de ses médecins apprend à Johnny Sack, ancien chef de clan new-yorkais condamné à quelques décennies d'emprisonnement, que son cancer du poumon est arrivé au 4e stade et qu'il n'y a pas de 5e stade. Sack meurt dans le même épisode.

la règle qui veut que le produit de deux négatifs soit un positif. Mais quelle vérité pourrait bien se cacher derrière la façade de cette fausse fiction ?

Revenons d'abord en arrière, en 1993 plus exactement, alors que Quentin Tarantino réalise *Pulp Fiction* et remporte la Palme d'or au Festival de Cannes. Outre les mafiosi Jules Winnfield et Vincent Vega* (incarnés par Samuel L. Jackson et John Travolta), le film, dont le titre annonce le caractère métafictionnel, met en vedette une certaine Uma Thurman dans le rôle de Mia Wallace, la femme de Marsellus Wallace (interprété par Ving Rhames), boss de Jules et de Vincent. Au cas où on l'aurait oublié, Mia Wallace est aussi une actrice dont la série télé, *Fox Force Five*, n'a jamais dépassé le stade du pilote.

Comme diraient les miliciens du Hezbollah au moment de traverser la frontière libanaise et d'attaquer une patrouille israélienne, capturant deux soldats, en tuant trois autres et faisant plusieurs blessés, le matin du 12 juillet 2006 : « Jusqu'ici, tout va bien. » Le hic, c'est qu'en 2003 et 2004 paraîtront *Kill Bill vol. 1* et *Kill Bill vol. 2*, dans lesquels la même Uma Thurman interprétera cette fois-ci le rôle d'une mariée enceinte (« The Bride ») assassinée par son ex pendant les préparatifs de la cérémonie. Survivant miraculeusement à une balle tirée dans

---

* Le frère de Vic Vega, le fameux « Mr. Blonde » découpeur d'oreille incarné avec un brin de folie par Michael Madsen dans *Reservoir Dogs,* premier long métrage réalisé par Tarantino en 1992.

la tête à bout portant par son assassin professionnel d'ex-patron (et amoureux), la mariée – Beatrix Kiddo de son « vrai » nom – n'a plus qu'une seule idée en tête : tuer Bill*. Voilà qui explique le titre du film. Mais qu'en est-il du lien avec la fausse fiction des *Sopranos* ? Comme disait l'un des slogans publicitaires de *Pulp Fiction* : « *You won't know the facts until you've seen the fiction.* » Inversement, avant d'aborder la vérité dans la fiction, il nous faudra réfléchir aux neuf faits suivants :

FAIT Nº 1 : Photographié en compagnie de sa vedette blonde sur la couverture du *Rolling Stone* en 2004 (*Goddess and the Geek : Inside Quentin's Obsession With Uma*, y lit-on en grand titre), Tarantino confie en entrevue** qu'il

---

* Au moment d'écrire ces lignes, j'apprends le décès de David Carradine, vedette de la série *Kung Fu* (1972–1975) dont la carrière aura connu un ultime regain de vie grâce au rôle de Bill. On l'a retrouvé suspendu dans le placard de sa chambre d'hôtel à Bangkok, en Thaïlande, le 4 juin 2009. Son cou, ses poignets et ses organes génitaux étaient attachés avec des lacets de chaussure. Les proches ont tenté d'imposer aux médias une histoire d'assassinat commandé par une organisation de ninjas, mais, une fois passé ce premier stade de l'échelle Kübler-Ross, ils seront bien obligés d'admettre qu'il s'agissait plus vraisemblablement de ce que les coroners appellent une fatalité autoérotique. On comprend la famille d'avoir honte, mais ce n'est rien en comparaison du Texan qui avait développé un attachement romantique pour son tracteur à pelle hydraulique, pelle à laquelle il se suspendait par le cou à des fins de stimulation sexuelle masochiste, poussant sa déviance jusqu'à donner un nom (Stone) à son tracteur et à écrire des poèmes en son honneur. Il est mort de façon accidentelle tandis qu'il s'abandonnait à ses fantasmes de machinerie lourde, laissant devant lui des indices qu'il prenait plaisir aux distorsions perceptuelles qui accompagnent ces séances d'asphyxie volontaire.

** Voir Erik Hedegaard, « A Magnificent Obsession », *Rolling Stone*, nº 947, 29 avril 2004.

a eu le sentiment d'avoir vécu l'une des scènes de *Pulp Fiction*, soit celle du fameux tête-à-tête inconfortable au Jack Rabbit Slim's, en rencontrant Thurman pour la première fois dans un restaurant de Los Angeles en 1993 ;

FAIT N° 2 : Quentin confie au journaliste du *Rolling Stone* qu'il a eu l'impression de tromper Uma en parlant du rôle avec une autre actrice auditionnant pour celui-ci, quelques jours après leur seconde rencontre à New York (« *I felt like I was cheating on Uma* »), et que c'est ce sentiment d'être en train de trahir son égérie, sa muse, son âme sœur (« *How can I talk to another girl about Mia when Uma is Mia ?* »), qui lui a permis de confirmer Thurman dans son rôle ;

FAIT N° 3 : Uma Thurman s'est séparée de l'acteur Ethan Hawke en 2003 ;

FAIT N° 4 : Hawke et Thurman s'étaient mariés en 1998, alors qu'elle était enceinte de sept mois ;

FAIT N° 5 : Il n'est pas interdit de voir le choix de Thurman de jouer dans *The Accidental Husband* (*Un mari de trop*) en 2008 comme un clin d'œil autobiographique ;

FAIT N° 6 : On s'en souviendra, le cœur de *Pulp Fiction*, c'est l'affaire extra-maritale non actualisée par le couple Vincent/Mia (Travolta/Thurman) ;

FAIT N° 7 : Lorsque Buddy, le serveur du *Jack Rabbit Slim's*, lui demande s'il désire son Douglas Sirk steak carbonisé ou sanguinolent (« *Burnt to a crisp, or bloody as hell ?* »), Vincent répond « Sanguinolent ». Mia, qui apprend à connaître celui avec qui elle gagnera bientôt un concours de twist, révèle un goût similaire à celui de son futur partenaire de danse, en répondant à la rime de Buddy («*How 'bout you, Peggy Sue?*») en ces termes d'un sang-froid chirurgical : «Je vais prendre un Durwood Kirby burger. Saignant. Avec un milk-shake à cinq dollars»;

FAIT N° 8 : Le générique de *Kill Bill* attribue l'histoire de la mariée couverte de sang à «Q & U», c'est-à-dire, bien entendu, à «Quentin & Uma», qui racontent tous les deux avoir eu l'idée de l'épouse sanguinolente (le serveur du *Jack Rabbit Slim's* dirait «*the bloody as hell bride*») pendant le tournage de *Pulp Fiction*. De leur complicité en coulisses serait ainsi née la duplicité portée à l'écran par le créateur et sa muse.

On conclut de ces huit faits que Q n'a pas refusé de remplacer U dans *Kill Bill* par bonté d'âme après avoir appris qu'elle attendait un deuxième enfant et qu'elle ne pourrait pas tourner avant plusieurs mois. La fausse fiction des *Sopranos* n'est certes pas un commentaire 100 % fiable de cette vérité enchâssée dans le sous-texte pince-sans-rire des films de Tarantino (*cf.* «Vous ne connaîtrez pas les faits avant d'avoir vu la fiction»), mais parions qu'Ethan Hawke ne doit pas être 100 % sûr non plus d'être le père des deux enfants de son mariage avec U. À l'évidence symbolique de l'image de la mariée sanguinolente, laquelle suggère une innocence virginale, s'ajoute, histoire d'étayer ces soupçons, la prescience d'un John Malkovich, qui après avoir joué le vicomte de Valmont dans *Les liaisons dangereuses* commenta le caractère de la jeune Uma, qui y interprétait Cécile de Volanges, en disant : « Elle est plus qu'un peu hantée. »

Je n'ai rien à ajouter, hormis (FAIT N° 9) qu'il manque à la langue française un équivalent réel à l'idiomatique cloueur de bec anglais « *I rest my case* ». Si le français n'en demeure pas moins la langue de l'amour, c'est que les voies de l'amour sont impénétrables – CQFD.

COMPLEXE DE PARENTÉ

Ci-gît l'histoire des jumeaux Yan et Jeanne d'Arc, tous deux passionnés par une approche particulière de ce fameux « monde intérieur » dont nous n'avons toujours pas appris à parler.

Yan enseigne l'anatomie à l'aide d'authentiques cadavres devant des classes remplies de peintres amateurs.

Jeanne d'Arc, elle, bûche jour et nuit en bibliothèque, tantôt relisant les observations trafiquées de Sigmund Freud (*Études sur l'hystérie*, 1895), tantôt réduisant la vie avec Alfred Adler aux trois buts que sont le travail, l'amour et la communauté (*Connaissance de l'homme*, 1927), tantôt renouant avec les archétypes de l'inconscient collectif avec Carl Gustav Jung (*Psychologie de l'inconscient*, 1912), lequel voyait Dieu déféquer sur une église dans ses rêves d'enfant, tantôt fantasmant avec Sándor Ferenczi sur les traces mnésiques de l'événement effractant (*Confusion de langue entre les adultes et l'enfant*, 1933), tantôt adoptant l'ambivalence pulsionnelle de la position paranoïde-schizoïde de Melanie Klein (*Contribution à l'étude de la psychogénèse des états maniaco-dépressifs*, 1934), tantôt s'abandonnant à l'intuition de la « troisième oreille » de Theodor Reik (*Écouter avec la troisième oreille : l'expérience intérieure d'un psychanalyste*, 1948), tantôt improvisant un psychodrame sous la direction de Jacob Levy Moreno (*Théâtre de la spontanéité*, 1947), tantôt infirmant la notion de « mère suffisamment bonne » de Donald Woods Winnicott (*De la pédiatrie à la psychanalyse*, 1969), tantôt méditant les structures métalinguistiques de l'inconscient avec Jacques Lacan (*Écrits*, 1966).

« Qui suis-je ? » note Jeanne d'Arc sur la première fiche d'un paquet comprenant trois sous-ensembles de fiches de lecture.

Le premier sous-ensemble concerne la Jeanne d'Arc imaginaire, qui regroupe ce qu'il est possible d'accomplir, comme se brosser les dents et passer une nuit blanche à étudier, quand on s'appelle Jeanne d'Arc sans être la Pucelle d'Orléans brûlée vive à Rouen le 30 mai 1431.

Le deuxième sous-ensemble concerne la Jeanne d'Arc symbolique, Graal féminin au sein duquel repose la pulsion de victoire des troupes françaises contre les armées anglaises, par exemple, ou encore icône où l'hérésie guerrière et l'innocence virginale cohabitent.

Le troisième sous-ensemble concerne la Jeanne d'Arc réelle. Constituée du reste, elle est impossible à cerner.

Bien que très proche de son jumeau sur plusieurs plans, Jeanne d'Arc s'explique mal comment Yan peut voir six paquets en disséquant l'ensemble de ses fiches du regard.

« Tu n'arrives pas au sixième paquet, lui répète Yan, parce que tu ne t'y prends pas comme il faut. »

Jeanne d'Arc sent que son frère s'éloigne d'elle chaque fois qu'il lui parle de ce soi-disant sixième paquet. Incapable de décider s'il faut le croire ou s'il se paie sa tête, elle laisse Yan à son goût des organes en coupes successives et ouvre sur sa table un Nathalie Quintane dont les pages peu nombreuses mais décidées la reposent.

LE TEMPS DES FENÊTRES

Il faut offrir du sucre aux buveurs de café, du feu aux amateurs de tabac, des seringues aux diabétiques et aux toxicomanes. Il n'y a pas de blessés sinon dans l'orgueil parfois. Il faut prendre son temps avant d'arriver à comprendre – avant que se fasse jour la possibilité même de comprendre. Puis vient l'illumination : une voiture qui passe, un taxi, une publicité sur un autobus, un arbre, un nuage, une heure, deux heures, un autre taxi, des gens qui discutent, trois heures, encore une heure, un taxi, un vol qui n'a pas eu lieu, une voiture de police banalisée ou fantôme, un rêve, deux litres de lait en carton recyclé, une heure quarante-trois, un paquet de cigarettes « légères », un jeu d'échecs sur une table de café-terrasse, un arbre, une fourmi, une autre, une autre, une autre, une autre, une autre et six autres encore, cinquante-deux cartes, un cimetière de voitures, pas une minute de retard, une publicité, une jeune fille à bicyclette, un camion-remorque, un ballon qui traverse la rue sans regarder, un jeune garçon, une BMW, un corbillard, des gens qui pleurent vêtus de noir, d'autres qui ne savent pas quoi dire ni même où se mettre, encore de noir vêtus, un papillon, des oiseaux, un taxi, un journal de la semaine dernière, un livreur de pizza, un camion-citerne, deux déménageurs, un ciel d'azur, un viol qui n'aura pas lieu, pas encore, calme océan bleu, c'est ça, tout en retenue.

La femme nue sur le calendrier ouvre les jambes au-dessus du mois de juin d'une année qui n'est plus la bonne depuis un demi-siècle. Le papier mural est défraîchi. La radio ne fonctionne plus. L'alternateur de l'auto rouge a rendu l'âme. La peinture est à refaire et les plaquettes de frein sont rongées par la rouille. Le ciel est à peu près bleu à l'extérieur. Temps doux, quelques soupçons de gris-blanc ici et là, rien pour se plaindre ou écrire à sa mère. Répétons en chœur :

Ma vie est un blason sur des murs de ténèbres. (*bis*)
Et mes pas sont fautifs où maintenant je vais. (*bis*)

Blanchot n'aurait rien dit. Ou alors si peu. Et alors ? Nelligan n'aurait pas plus maudit. Il fallait, cela malgré tout dit, *meubler*, c'est le mot, l'espace qui nous était donné, en attendant, en attendant – en attendant activement, instantanément, que le travail du temps en un claquement de doigts crève les bulles du jour aux fenêtres de jadis.

L'ANGOISSE DE FRANÇOIS LANDRY

Comme il attendait un téléphone et qu'il faisait trente-trois degrés sous zéro à l'extérieur, François Landry préféra remettre sa sortie à plus tard. C'était un homme de taille moyenne, aux yeux pâles, vêtu avec une élégance discrète. Il avait été mécanicien dans l'armée canadienne et, selon les dires de ses camarades, rêvait de visiter un jour la Norvège. Les années avaient filé sans qu'il n'en puisse rien faire et, devenu mécanicien à son compte, il racontait à ses enfants qu'il était souvent pris d'angoisse à l'idée de n'avoir jamais fait que ce qu'on attendait de lui.

CRAVATE COULEUR D'ESPOIR BRISÉ

Joseph-Arthur fit croire un soir au curé Lorrain que l'on pouvait selon les chrétiens de la première heure mesurer la foi d'un homme en lui faisant jeter au feu ce qu'il avait de plus cher au monde, et le curé Lorrain, que les enfants appelaient sans surprise « curé L'Oreille », jeta sa Bible en tremblant de toute son âme dans les flammes qui léchèrent chacune des pages avant de tout emporter d'un seul souffle au pays des cendres. « Et toi, demanda-t-il à Joseph-Arthur, qu'as-tu jeté au feu ? » Et Joseph-Arthur articula sa réponse en un rictus qui fit tourner d'un coup sec le sang du curé qui venait de brûler sa Bible : « Rien. Qu'est-ce que tu crois. »

ORANGE CRUSH

J'ai pris l'autobus et l'ai fait rouler dans ma paume. À l'avant-dernier arrêt, le petit garçon que je n'étais plus, ayant fini sa pomme, a ressenti comme à travers la vitre un serrement au cœur. Sous l'une des roues arrière, s'il a de la chance, l'ambulancier que je serai devenu, descendant du véhicule, retrouvera froissé, jauni, le bout de papier sur lequel j'aurai entre-temps noté, presque dans une autre vie, le numéro de la fille au parfum d'orange.

CUISSON DÉSIRÉE
Pièce à température d'elle-même

Deux personnages sur une scène, sans didascalies.
Peut-être un peu d'éclairage, peut-être rien du tout.
F et H sont là depuis toujours.

F — C'est arrivé comment?

H — Je ne sais pas.

F — Que s'est-il passé?

H — Comment, que s'est-il passé?

F — En quelles circonstances?

H — Je ne sais pas.

F — C'est passé.

H — Oui.

F — Alors c'est tout ce qui compte.

H — Il n'y avait personne?

F — Quelle différence?

H — Juste pour savoir.

F — Vous attendiez le train?

H — J'étais seul.

F — Et tu attendais le train?

H — Il n'y avait pas de train.

F — Et ta solitude?

H — Quelle solitude?

F — Tu ne te sentais pas seul?

H — Non, je l'étais, ça me suffisait.

F — Je vois.

H — D'ailleurs, j'aurais pu me tromper.

F — Mais ça ne te pesait pas?

H — Quoi?

F — D'être seul?

H — Oui. Non. Va savoir.

F — Tu m'aimes?

H — En voilà une question.

F — Tu ne te sentais pas seul?

H — Je l'ai déjà dit.

F — Tu n'as rien dit du tout.

H — C'est mieux comme ça.

F — Pourquoi dis-tu ça?

H — Je ne tiens pas à avoir l'air intelligent.

F — Tu dis ça pour avoir l'air intelligent.

H — C'est une hypothèse.

F — Tu m'aimes?

H — J'attends le train.

F — Il n'y a pas de train.

H — J'attends quand même, juste au cas.

F — Tu dis ça pour avoir l'air romantique.

H — Je t'ai apporté des fleurs.

F — Tes mains sont vides.

H — Combien pèserait ma solitude selon toi?

F   — Le poids de mon angoisse en fleurs.

H   — Tu m'aimes ?

F   — Tes mains sont froides.

H   — Je meurs.

F   — Tu n'es pas mort.

H   — Je vis à peine.

F   — Tu dis ça pour avoir l'air dramatique.

H   — Je ne tiens pas à en faire un drame.

F   — Il n'y a pas de quoi.

H   — Tu m'attendais ?

F   — J'ai pris des cours de danse.

H   — Pour meubler tes soirées ?

F   — J'ai gagné des prix en Argentine.

H   — Tu as pleuré ?

F   — J'ai voyagé.

H   — L'ennui.

F   — Parce que aller vers l'autre...

H   — (*complétant*)... ne va pas de soi.

F   — Tu es fou.

H   — Je m'appelle Frank.

F   — Tu mens.

H   — Tu es folle de moi.

F   — Tu as peut-être raison.

H   — Disons simplement que je n'ai pas tort.

F   — Quelque chose comme ça.

H   — Et ensuite ?

F   — Ça dépend.

H   — De quoi ?

F   — De beaucoup de choses.

H — Lance un chiffre pour voir.

F — Donne-moi plutôt la main.

H — C'est une idée.

F — Ne sois pas si rationnel.

H — Tu sais ce qu'on dit.

F — Quoi ?

H — Chassez le rationnel...

F — (*complétant*)... il revient au galop.

H — C'est l'histoire de ma vie.

F — Tu as des regrets ?

H — J'aurais pu faire mieux.

F — Tu t'attendais à quoi ?

H — Je ne sais pas. À rien.

F — Tu me fais rire.

H — Naturellement.

F — Tu m'aimes ?

H — Je m'appelle Kant.

F — Tu veux dire Kent.

H — Tant pis pour Kant, alors.

F — Tu es fou.

H — Complètement.

F — Et tu t'en fous.

H — Partiellement.

F — Et mon décolleté ?

H — Il ne laisse pas place à l'imagination.

F — Tu aimes les animaux ?

H — Surtout ceux à base de viande.

F — Dis-moi que tu mens...

H — (*complétant*)... je te dirai comme tu respires.

F — Qu'est-ce que ça veut dire ?

H — Rien.

F — Comment, *rien* ?

H — Comme ça, pour rire.

F — C'est ça, n'en parlons plus

H — Motus et bouche cousue.

F — Disons.

H — Tu veux dire « Façon de parler ».

F — C'est à peu près ça.

H — (*parlant dans sa tête*) Je t'aime.

F — Et le mot de la fin ?

H — Je n'y tiens pas

F — J'insiste.

H — Alors voici.

F — Je t'écoute.

H — Alors voilà.

F — Tu ne m'écoutes pas.

H — Un, deux, trois : la Riviera sans vie rira.

F — (*parlant dans sa tête*) Je me demande bien quelles chaussures je mettrai demain. Merde, qu'est-ce qu'il a dit ? « La rivière au sang vira » ? Tu parles d'un mot de la fin. Peut-être mes escarpins rouges, avec ma robe d'Edith Head. Et puis non, nous irons à la plage. Nu-pieds, voilà, pieds nus dans le sable, ce sera plus simple.

H — (*un air de Mozart dans la tête*) « Cha cha cha, cha cha cha... Non, tu n'existais pas. Sous le ciel troublant des nuits de gala, quand un bon danseur serre une fille entre ses bras, dans les yeux de sa compagne, il sait ce qu'il trouvera. Cha cha cha, cha cha cha... Non, tu n'existais pas. En tout cas, pas encore. Rythme tropical aux senteurs d'ambre et de cannelle, emporte-nous bien loin de tout, dans l'allégresse et dans la joie. Cha cha cha, cha cha cha... » Non, ce n'est pas ça. J'ai l'impression de m'écouter parler. Ce n'est pas grave. Il ne faut pas lui en vouloir. Ma voix m'énerve aussi.

F — Alors, qu'est-ce que tu en dis ?

H — (*ne comprenant pas*) Je t'écoute.

Son de vinyle qui saute.
Reprise des hostilités après l'entracte.
Ce n'est pas fini tant que ce n'est pas fini. (bis)

UN BREF APERÇU DE L'INFINI

I

Il est de notoriété publique que le professeur Charles Xavier, alias professeur X, super-héros quadraplégique d'une extraordinaire intelligence de la bande dessinée *The X-Men* créé en 1963 par le prolifique Stan Lee (à qui l'on doit entre autres héros les populaires Fantastic Four, Hulk et Spider-Man), tiendrait son nom d'un personnage de *Pale Fire,* roman publié un an plus tôt par Vladimir Nabokov, où Charles Xavier Vseslav (Charles II, dit « le bien-aimé », ancien roi de Zembla en exil) apparaît comme alter ego de Charles Kinbote, auteur de l'édition posthume de *Pale Fire,* poème de mille vers (auquel il manque le dernier) d'un certain John Shade, assassiné par erreur à la place de l'exilé Charles II[*]. Ce fameux feu pâle qui

[*] Le père de Nabokov, Vladimir Nabokov, avait lui-même été, en bon défenseur de l'idéal démocratique, assassiné à la place de son opposant politique Pavel Nikolaïevitch Milioukov le 28 mars 1922.

donne son titre au livre comme au livre dans le livre est tiré d'une réplique (« *The moon's an arrant thief, / And her pale fire she snatches from the sun* ») de la pièce inachevée *The Life of Timon of Athens* de William Shakespeare : « La lune est un fieffé voleur, / Et son feu pâle elle le pique au soleil » (acte IV, scène III)*. La métaphore d'usurpation de la lumière à laquelle renvoient les vers du dramaturge anglais place le lecteur devant l'obscur motif au cœur du roman de Nabokov, de même qu'au cœur du poème mis à distance par le jeu de la fiction, ouvrage poétique en abyme dont certains lecteurs attribuent la narration au commentateur Kinbote, qui aurait inventé le poète en même temps que l'œuvre de ce dernier (ce qui n'est pas si difficile à imaginer pour peu qu'on prenne assez de recul par rapport à la narration pour se rappeler que Nabokov a tout inventé, inventeurs comme inventés), alors que d'autres avancent que Kinbote serait l'invention d'un John Shade troublé par le suicide apparent de sa fille Hazel, dont on n'a pas retrouvé le corps.

---

* Le père de Nabokov ayant péri dans les conditions décrites une note plus haut, la portée du titre gagnera en profondeur quand il sera relevé qu'il fait aussi référence à cette autre réplique (« *The glow-worm shows the matin to be near, / And gins to pale his uneffectual fire* ») que le fantôme du père assassiné de Hamlet adresse à son fils dans *The Tragedy of Hamlet, Prince of Denmark* du même Shakespeare : « La luciole montre le matin à venir, / Et se met à pâlir son feu sans effet » (acte I, scène V).

Aujourd'hui célèbre au point de passer pour une icône de culture pop sans profondeur, sorte d'équivalent réel du professeur X imaginé par Stan Lee, le physicien, théoricien et cosmologiste anglais Stephen William Hawking, né à Oxford le 8 janvier 1942, n'a commencé à souffrir de la dystrophie neuromusculaire* (dont le plein essor le laissera quasi totalement paralysé) qu'après avoir quitté Oxford pour Trinity Hall (Cambridge) en 1972–1973**. Le mal progressant, il devient incapable de se nourrir lui-même ou de sortir du lit en 1974. Puis, contractant une pneumonie en 1985, il doit subir une trachéotomie. Privé de sa voix par cette opération qui lui sauve la vie, il doit alors apprendre à communiquer à l'aide d'un astucieux dispositif, conçu expressément pour lui par une équipe de scientifiques de Cambridge, qui lui permet d'écrire ce qu'il veut dire sur un ordinateur avec de petits mouvements de son corps, tandis qu'un synthétiseur vocal lui prête une voix de robot aujourd'hui indissociable du personnage.

---

* Variante de sclérose latérale amyotrophique (SLA) à laquelle les Américains ont donné le nom de Lou Gehrig, joueur de premier but des Yankees de New York qui s'est retiré le 30 avril 1939 avec six championnats en banque et une moyenne au bâton en carrière de 0,340. Il est mort de sa SLA deux ans plus tard, à trente-sept ans.

** Éternel optimiste, il dirait plus tard de cette période noire : « Mes attentes ont été réduites à zéro quand j'ai eu vingt et un ans. Tout ce qui s'est passé depuis est un bonus. »

Contrairement à certaines vedettes éphémères qui sont connues parce qu'elles sont connues (ne pas les nommer les tue ici dans l'œuf), Hawking doit sa renommée au best-seller de vulgarisation scientifique *Une brève histoire du temps : du Big Bang aux trous noirs,* paru en 1988 et vendu à plus de dix millions d'exemplaires depuis.

« Toute ma vie, j'ai été fasciné par les grandes questions auxquelles nous faisons face et j'ai tenté d'y trouver une réponse scientifique, » dirait-il plus tard à propos de ce succès inespéré, ajoutant, non sans humour : « C'est peut-être pour cette raison que j'ai vendu plus de livres sur la physique que Madonna sur le sexe. »

Sur un ton moins pince-sans-rire, la critique de Philip Kindred dans le numéro 392 de *Sciences** donne une bonne idée de l'effet des théories du génie quadraplégique sur l'esprit de son lecteur : « On ne referme pas ce livre : on pousse une porte, et elle claque derrière nous avec un grand bruit qui résonne. »

Toute la finesse de l'affaire est qu'en ce point on doit suspendre le fil de cette brève histoire. Parce qu'il ne connaît pas encore ses limites (s'il en a), l'univers décrit plus haut ne saurait être ni créé ni détruit.

* Revue aujourd'hui disparue.

C'était à première vue la chambre idéale, pas trop grande, assez basse de plafond.

JEAN ECHENOZ

POURQUOI J'AI PAS FAIT ROMANCIER
Précis de brièveté

Le père des *Petits poèmes en prose* le disait déjà à propos des contes d'Edgar Allan Poe qu'il traduisait à l'époque, la fiction brève a sur le long roman cet immense avantage que sa brièveté ajoute à l'intensité de l'effet, unité d'impression et totalité d'effet qui peuvent donner à ce genre de composition «une supériorité tout à fait particulière, à ce point qu'une nouvelle trop courte vaut encore mieux qu'une nouvelle trop longue». Pourquoi faire long, comme on dit, quand on peut faire court? Lorsque comparé au fragment, à la netteté éphémère et ciselée, le *tout* ne semble-t-il pas trop lourd et encombrant? Parce que la forme est contraignante, explique l'auteur de sonnets, l'idée jaillit plus intense. «Avez-vous observé, poursuit-il, qu'un morceau de ciel, aperçu par un soupirail ou entre deux cheminées, deux roches ou par une arcade, donnait une idée plus profonde de l'infini que le grand panorama vu d'en haut d'une montagne?» Grâce à cette cruelle sobriété, l'idée se fait mieux voir, et le sujet se découpe plus nettement sur ce fond nu.

POST-SCRIPTUM : « Délire laborieux et appauvrissant que de composer de vastes livres, de développer en cinq cents pages une idée que l'on peut très bien exposer oralement en quelques minutes. Mieux vaut feindre que ces livres existent déjà, et en offrir un résumé, un commentaire. » (Nils Ed Runeberg, *Bibliothèque de la Pléiade*, p. 451.)

À LA MORTE-SAISON
Novella

L'explosion lui arracha la moitié du visage. Il ressemblait
à ces enfants qui chantent dans le noir pour se calmer
– ou pour oublier qu'ils ont peur. Une voix, un corps que
quelqu'un regardait : Un de plus, dit la gorge sèche.

Le soleil se leva, mais il n'amusait plus personne.
Simple impulsion, anecdote. Il y aurait lieu de se taire.
Quant à opter pour l'enfance, le passé qui l'aiderait à
s'accrocher, il préférait sauver le reste, la ville, l'avenir.

Non, se dit-il, je suis trop faible, je n'y arriverai pas.

Date incertaine suivie de disparition totale, un blanc.
Brindille cette herbe ou ce champ, ces herbes qui vertes
et rouges et jaunes et noires dans le vent devenaient
poussière dans un vaste champ de jonquilles en mémoire
dans les jours qui suivirent. Date incendiaire suivie de
disparition totale, une rougeur. Brindille cette herbe en
séchant, ces herbes longues où l'on irait, dans l'espoir d'y
retrouver le repos, de s'allonger dans l'idée d'un papillon
qui pour survivre s'efforce de passer pour une brindille
sèche, pendant quelques heures de distraction.

Il n'y avait personne et personne n'avait rien vu. Une ligne diagonale aurait découpé le ciel si quelqu'un avait regardé dans cette direction, mais il n'y avait qu'un corps inerte, laissé pour mort au milieu de nulle part, comme tous les autres, avant lui comme après. Je dis « lui », mais ce n'était qu'un corps, inanimé, quoi que je puisse en dire par la suite. Et pourtant, si ce corps était animé, c'est-à-dire minimalement animé d'une ébauche de conscience, il pourrait, de petites impulsions électriques passant du nerf optique au cerveau, voir une ligne diagonale qui découperait le ciel en unités nuageuses groupées, sinon dégagées.

Doté d'une certaine mémoire et donc d'une certaine réserve d'indices pouvant lui donner l'impression d'être à même de déchiffrer le monde, il comprendrait, ou croirait comprendre, d'après ces quelques données immédiates, qu'il est étendu sous une ligne téléphonique. Puis, ne sachant trop comment les choses en seraient arrivées là, il se demanderait si cette diagonale ne formait pas plutôt la moitié d'une chose qu'il ne saurait nommer sans se perdre en conjectures.

Une odeur insupportable l'empêcherait de poursuivre dans cette voie. Il lèverait un bras, mais la douleur serait insupportable. Un chapelet d'obscénités défilerait alors sur ses lèvres – pas un mot, personne ne s'offense.

Il se lèverait, mais une douleur au dos l'en empêche-rait, le forçant à opter pour une roulade latérale qui, bien que salissante, lui rappellerait son enfance.

Brindille cette herbe ou ce champ. Vibration des globes oculaires selon technique d'animation japonaise suivie d'une reprise momentanée de la vie courante.

Une fois debout, il comprendrait qu'il était étendu sur une roche pointue. Une odeur, dirait-il, mais rien de plus. Il aurait la gorge sèche. Il en profiterait pour se taire.

Le soleil se leva, et il dormait encore, et il dormait encore qu'il faisait déjà grand jour.

Le voilà soudain : paupières ouvertes, debout. On voit qu'il a mal dormi, même s'il a fait semblant au début, mais, après un moment, petit à petit, le semblant s'est défait et il s'est endormi pour vrai.

Bref, une ligne diagonale découpait le ciel alors qu'il était étendu sur une roche, mais maintenant qu'il est debout, c'est une grande ville qu'il voit se dresser sur l'ho-rizon. De là l'odeur, se dit-il, même si le fait de rejoindre la civilisation demeure, dans les circonstances, la seule option valable.

Il devrait se lever, voir si la cité n'est plus très loin, mais il ne lève que la tête, huit centimètres tout au plus, et la voilà qui se dresse entre ses pieds – une illusion d'optique, selon toute vraisemblance – et le voilà, lui, qui ne la reconnaît pas, elle.

L'ombre d'un nuage précipita le déclin du jour.

Pendant ces quelques heures de distraction, il n'aura vu de toutes parts que des craquements d'ailes blanches qui se seront déployées, de véritables anges faisant mine de s'envoler dans leur robe d'innocence.

Je n'aurais pas dû lever la tête, se dit-il en retenant les sons dans son gosier sec. Cela dit, une fois qu'il est debout, l'angle s'ajuste à sa mémoire et la ville redevient la même, réactivant du coup le souvenir de son irrespirable parfum.

Il grimace.

Il lève un bras pour se pincer le nez, mais tombe à la place sur le dos.

Boum.

J'ai perdu l'équilibre, se dit-il en essayant de rationaliser la situation, c'est-à-dire en niant qu'il a plutôt perdu l'habitude de lever les bras.

La lumière est jaune sur les champs qui sèchent et le bord de la route est blanc de poussière. Vulgaire grisaille au-delà des choses qui l'entourent, comme s'il n'y avait plus rien à voir, sinon cette insuffisance de l'intelligence, comme si tout le monde avait compris qu'il aurait bien fallu éviter d'emprunter cette route ce jour-là, ralentissant devant la scène d'un accident quelconque, tôles déchirées, sacs gonflables, éclats de verre, yeux fermés, commotions cérébrales, hémorragies internes, et tout ça, yeux ouverts, pour ne pas rater sa sortie : REST AREA, STATION-SERVICE, RESTAURANT.

Il voudrait bien se relever, voir si la ville est toujours là, mais il n'y a personne pour l'aider. « NE NOURRISSEZ PAS L'ANIMAL EN VOUS », pourrait-il lire sur le panneau, s'il ne s'imaginait à nouveau étendu sous une ligne téléphonique, se demandant si cette diagonale ne formerait pas la moitié d'une chose qu'il ne saurait encore nommer sans se perdre en conjectures.

Mais non, tu n'as rien imaginé du tout. Claquement de doigts. Puisque tu es bel et bien étendu sous ce câble dont le noir couvert de poussière grise ne saurait se faire plus tranchant contre l'impeccable bleu du ciel.

Conditions atmosphériques statiques, insignifiantes. Il tente de se lever, mais une douleur, au pied cette fois, l'en empêche, le forçant à rester là, sur le dos. L'ombre du câble téléphonique se balance sur son visage alors qu'il enlève son soulier, au fond duquel une petite roche semble s'être logée, d'où, souhaite-t-il, sa douleur au pied.

Et si c'était elle qui l'avait fait grimacer tout ce temps ? Trop tard, il a remis son soulier.

Il n'a pas bougé d'un poil ni fermé l'œil. Il observe la ville, qui sait depuis combien de temps, hypnotisé par cette immobilité qui les rapproche.

Un cri s'est emparé du vide. Il regarde autour : personne. Il lève la tête : personne. Juste un oiseau de malheur qui décrit un cercle en haut. N'empêche qu'encouragé par ce signe de vie, le corps poursuit sa longue marche vers la ville puante. À pas de bébé, pense-t-il, retrouvant le sourire idiot de ses semblables. Puis, la fatigue ayant vite fait de rappeler la marche à sa cérémonielle lenteur, le corps laisse entendre un râle qui, s'il y avait quelqu'un d'autre, trahirait la rugosité de sa gorge. Mais il n'y a qu'une ligne téléphonique, droite et silencieuse, au-dessus de laquelle il voit des cercles, vidés de leur sens premier, dépourvus de vertébrés à plumes pour les décrire.

Il est certainement préférable d'avancer, se dit-il, que de lever la tête et de se mettre à courir après les insectes. En ville, je pourrai toujours relever la tête et voir quelque chose d'intéressant, mais je dois d'abord me contenter d'avancer, ne serait-ce que de huit centimètres, se dit-il en joignant cet effort semi-vocal au frottement de ses bottes, entraînées par la poussière qu'elles traînent, s'imaginant lui-même devenir un sablier.

— À qui sont ces bottes ?

Et le voilà qui dans le trouble s'enferme à double tour. Cancer maboul et troubadour, tel don Quichotte enfant, lisant tout haut *Das Sanduhrbuch* dans l'édition de 1954, un vrai moulin à paroles : « brindille cette herbe ou ce champ ». Et voilà maintenant que la tête lui tourne – impression de déjà-vu, comme un chat qui éternue sur sa proie avant de la dépecer – et que, huit jambes plus loin, il laisse entendre un râle qui trahirait la rugosité de sa gorge s'il y avait quelqu'un, ou plutôt, s'il y avait eu quelqu'un d'autre. Mais non : toujours personne.

Et voilà que devant lui la route se sépare.

— Gauche ou droite ?

Hésitation. Long silence.

S'il y avait quelqu'un d'autre, ce long silence trahirait le fond de sa pensée, mais, comme il n'y a personne pour le trahir, il se contente d'un sourire en coin, ajoutant ainsi à l'injure la mémoire d'un célèbre tableau cubiste.

Il ferme l'œil, continuant de croire qu'il pourra bientôt lever la tête et voir la ville, espérant sans doute oublier le poids de la fatigue qui pousse ses pieds à rester au sol. Quand il est arrivé à l'embranchement, gauche et droite lui sont totalement indifférents : il suffit, pense-t-il, de suivre la ligne.

Personne. Une ligne, un bout de chemin, et puis... et puis plus rien.

— Car je cherche le vide, le noir et le nu.

Seules des bribes de souvenance qui vont et viennent dans l'obscurité.

— Mais le noir est lui-même un tableau.

Un sourire, une course contre la montre, l'impression d'être à bout de souffle et, surtout, pointé du doigt.

L'automne, aucune agitation ne trouble la campagne. Il a plu. Je n'étais pas seul, à moins que. Sait-on jamais ? Si j'avais su.

— Et ça continue.

Cachée sous les feuilles mortes, la campagne n'est plus troublée d'aucune agitation.

De retour à la réalité (si insupportable qu'il doit forcer les yeux), il croit apercevoir au loin (justement parce qu'il plisse les yeux) une forme humaine, qu'il voudrait rejoindre, baissant la tête pour voir que ses orbites mi-clos ne laissent plus rien passer, et que lui-même ne voit plus grand-chose, tout en se disant qu'il n'y a rien à voir de toute façon. Histoire, on s'en doute, d'ajuster le paysage à sa propre négation.

Impossible de relever la tête, constate-t-il en tentant tout bonnement de relever la tête. Immobile, il reste planté là, souriant sans sourire, bouche ouverte et regard mi-absent, s'imaginant, du haut de cette posture mongolienne, résister au passage du temps.

Enfant, il se prenait pour un sablier, et le temps passait en lui comme une humeur indifférente : « Je me souviens d'une auto rouge, poupée en deuil. Je n'ai pas vu le panneau, la ferme et les œufs... »

Sa vue lui revenant, il voit une forme humaine se découper, comme en pointillés, sur la ville, amas d'immondices vers lequel il se dirige toujours, se concentrant sur le mouvement de ses pieds parmi cette inquiétante poussière qui recouvre le sol, dans l'attente de voir s'atténuer le battement de ses paupières qui, tout en évoquant celui de l'aile du papillon, l'irrite.

Un léger picotement apparaît dans ses jambes. Il a tenté de l'ignorer jusqu'ici, mais la douleur est maintenant insoutenable ; et c'est en reconnaissant le picotement que le corps fait apparaître ce qui était déjà là, faussement inactif parmi les zones d'ombre de la conscience : « Tu as senti quelque chose et tu sens toujours cette chose qui, ironiquement, te paralyse. » Ainsi va sa mémoire consciente, contre sa volonté, qui s'effondre, avec lui, d'un mouvement diagonal, brusque et involontaire.

Soleil et temps passent, ressemblent à la mort.

Étendu sur le ventre, il écoute son souffle se traîner parmi les immondices et la poussière, réalisant qu'il est toujours étendu sous une ligne téléphonique.

Un picotement, se dit-il, mais rien de plus. L'idée n'est pas sans lui plaire, mais la poussière s'élève comme une objection dans sa gorge. Une forme humaine, apparemment, s'est gravée dans sa mémoire.

Brindille cette herbe en séchant, c'est peut-être une bonne femme qui chante, brindille, une vieille femme qui chante, cette herbe, un jour de lavage, brindille cette herbe en séchant.

Il se lève. Aucune douleur ne l'en empêche, aucune roche ne le fait grimacer, et le voilà, sourire aux lèvres, qui s'avance vers cette altérité potentielle devant laquelle il s'arrête enfin, moitié soulagé, moitié déçu, réalisant au bout d'un ultime soupir que ce n'était qu'une orante, silhouette silencieuse dans le silence.

— Un cri?

Il lève la tête, grimaçant, mais il n'y a qu'une ligne téléphonique. Il ne tient pas tellement à faire tomber la poussière qui le couvre et cela demande une quasi-immobilité. C'est la raison pour laquelle il n'avance pas, ne bouge plus, aucune émotion dans le regard, alors qu'il y aurait peut-être une ville, droit devant lui, s'il n'y avait pas ou plus d'orante. Et le vent siffle à travers le bois mort, déchiqueté, les champs de poussière et les formes calcinées.

Si seulement quelqu'un restait éveillé assez long-temps pour comprendre. S'il était conscient, ce corps verrait bien, de petites impulsions électriques par-courant ses vertèbres, qu'il ne sent plus ses jambes et qu'il ne saurait nommer son malaise sans se perdre en conjectures.

Je me souviens de toutes ces maisons qui avaient l'aspect minable de baraques de mine, des couleurs délavées par la poussière, des raies de poussière dans le demi-jour, de mon château de cartes qu'une grande main calleuse renverse encore et encore, des déflagrations qui remuent nos lèvres, s'étendant sur la ville par ondes successives, avant d'aller mourir dans les champs.

On aurait dit qu'il ne pouvait plus sentir ses jambes. Il aurait regardé droit devant lui, mais quelque chose l'aurait empêché de voir plus loin.

— Qu'est-ce qu'une orante ?

Il se serait souvenu, non pas du jeu des huit orangs-outans enchaînés, mais d'une adoratrice en prière, le dos de ses mains tourné à plat vers le sol, avançant les bras comme pour faire une offrande invisible, évoquant, au moyen de son geste emblématique, le don de richesse et de félicité promis par l'idée qu'elle représentait. Séchée et durcie par les années, la statue aurait acquis une solidité en apparence indestructible. Elle aurait pourtant brièvement eu l'air d'avoir les mains jointes derrière le dos. Il aurait alors entendu une conversation, d'abord très faiblement, puis de plus en plus clairement, avant de voir un homme apparaître de chaque côté de la statue, formant de la sorte un angle d'environ quatre-vingt-huit degrés avec lui.

Dignus, aurait fini par dire l'homme de droite, laissant à son homologue de gauche le privilège de compléter : *Dignus est entrare.*

Un flash lui revient en tête : une orante l'empêche de voir la ville alors qu'il est toujours étendu sur le dos, puis un homme et un autre le traînent vers la ville et c'est le dos de l'orante qu'il voit.

— Avait-il lu Molière avant de partir ?

Il écoute ses pieds se traîner sur le sol en ruine, et voilà que l'orante s'éloigne, presque lente, impalpable, lointaine.

Cette herbe où l'on s'étend...

Il baisse la garde, pour atténuer l'insoutenable picotement, mais, des impulsions électriques profitant de cette obscurité pour se faire des signes, un flash lui revient inlassablement.

Cette herbe où l'on chante...

Il sent bien qu'il y a quelque chose derrière tout ça. Peut-être même quelqu'un d'autre. Il voudrait se retourner, voir s'ils s'approchent de la ville, mais il ne laisse entendre qu'un râle, si faible à l'ouïe de ses porteurs qu'il trahit à peine la rugosité de sa gorge. Un bruissement, pensent-ils, rien de plus.

Entendant une conversation, d'abord très faiblement, puis de plus en plus clairement, il s'imagine qu'il verra bientôt cet étrange duo former avec lui un angle d'environ quatre-vingt-huit degrés, et donc, la moitié d'un truc qu'il ne saurait dire sans se vomir dans la bouche.

Borborygmes.

Il tend l'oreille, mais le bruit que font ses pieds dans la poussière l'empêche de se concentrer sur ce qu'ils disent, alors il se contente d'écouter les sons passer de l'homme de gauche à l'homme de droite, puis de l'homme de droite à l'homme de gauche, s'imaginant selon les vibrations de leurs cordes vocales qu'ils rejoindront bientôt la civilisation.

Dignus est entrare. Il est digne d'entrer. L'idée n'est pas sans lui plaire, bien sûr, mais la poussière en lui s'élève pour y mettre un terme.

La tête sur les genoux, il écoute son souffle dans la poussière en suspens. Il n'ouvre pas. Quelque chose est en train de s'organiser. Il y a quelque chose, de l'autre côté de ses paupières, qui est en train d'effacer le peu qui lui reste de son enfance.

— Car je cherche à faire le vide.

Seules des bribes de souvenirs pataugent désormais dans l'obscurité.

— Mais le vide, c'est déjà quelque chose.

Une roulade dans la boue, un visage dans la poussière, une tache qui en remplace une autre. Hiéroglyphes électriques dans l'obscurité, dans l'air du temps, impossible d'échapper à l'éternel, implacable retour à la réalité. Il le sait, alors il s'enferme de l'autre côté, cancer maboul et troubadour, dans la poussière impossible, la bouche bourrée de glaise, à cet instant futur immédiat où il n'ouvre pas, n'ouvre pas l'œil.

Il lève mollement un bras, s'imaginant faire tomber cette femme sur le dos, alors qu'une larme s'échappe du côté tordu de son esprit. Douce nostalgie, résidu déformé d'une enfance en éponge, et quoi encore ? L'orante l'empêche toujours de voir devant lui, mais le voilà qui la pousse et qu'enfin elle s'effondre.

Boum, déflagration de l'être.

La chute est brutale, et les débris se dispersent dans la poussière qui se soulève comme une foule qui en redemande. Comme une foule, mais pas vraiment : toujours personne.

C'est maintenant ou jamais qu'une femme s'avance tranquillement au centre de la scène formée de ses souvenirs, chapeau melon et bottes de salope, pensant sans doute donner un peu de tonus à cette rêverie si peu érotique. Dès lors, dit-elle, que l'on observe un phénomène donné, notre attention le détourne de sa trajectoire indifférente, et plus rien de ce que nous observons n'est vrai.

Maintenant – il observe la ville, mais elle ne correspond pas à l'image qu'il en avait et, l'autre orante lui ayant bloqué la vue, il en déduit qu'il pourrait bien s'agir d'une seule et même statue – ou jamais.

Surgit alors le souvenir de l'avoir poussée, et les membres dispersés dans la brutalité de la chute reviennent se glisser derrière ses paupières. Incapable de dissocier les débris de la poussière, il se demande si la statue ne se trouverait pas un peu plus loin derrière. Il retournerait donc sur ses pas, juste pour voir, mais comme il lui tournerait le dos la ville s'évanouirait avec l'espoir qu'il avait de la rejoindre. Le soir, sans même se demander s'il tenait ou non un journal, il écrirait dans le sable à la pointe d'une béquille (il en aurait bien besoin) ou d'un bâton (une branche morte ferait l'affaire) : « Point de poussière, de soleil brûlant. Seulement ces clôtures délabrées, ces bâtiments en ruine et ces agrégats d'ordures qui attristent si souvent l'œil et l'odorat du voyageur. »

S'il se retournait, nous le voyons bien, un immense tapis de possibilités se déroulerait sous ses pas. Or, condamné au vraisemblable par un tapis de possibilités sans magie, condamné à rester les pieds sur terre, sur un tapis qui n'en est même pas un, condamné, quoi qu'il fasse, à réfuter les tapis volants de son enfance et des gitans de Macondo, il ne se retournera pas, poursuivant plutôt sa maigre progression vers la ville, et ce couple de statues qui s'en détache maintenant à l'horizon. Aussi sourit-il, s'immobilise-t-il, calcule-t-il, baisse-t-il la tête, soupire-t-il, prend-il un air menaçant, relève-t-il la tête et charge-t-il, comme un taureau sauvage, ces étranges statues qui ne reculent pas, ne bougent pas, restent là, immobiles et silencieuses, sous un câble téléphonique alors que le même mouvement s'amorce à nouveau, le sol se soulevant sous ses jambes en poussière, après quoi il s'essouffle et s'immobilise, arrivé au bout de ses jambes, la sueur retenant la poussière sur sa peau.

L'humiliation devient très vite insoutenable. Il s'effondre, d'abord sur un genou, puis, par habitude, sur le dos.

Il jette un œil autour de sa personne, réveillé par cette ombre qui se balance sur son visage, puis il se demande s'il arrive que des lignes se croisent, et ce qui arrive lorsqu'elles se croisent.

— Et alors ?

Et alors il se relève, d'un mouvement brusque mais cohérent, juste pour voir la ville, sans compter l'étrange couple de statues maintenant dressé à mi-chemin.

Il s'avance vers elles avec attention, à l'affût du moindre signe de vie. Aussi sourit-il, s'immobilise-t-il, baisse-t-il la tête et, des impulsions électriques passant au cerveau à l'instant même où s'ouvrent ses paupières, voit-il des pas dans la poussière. Puis, comme il n'y a toujours personne d'autre pour lui dire si ces pas sont ou ne sont pas les pas de ses porteurs, il relève la tête et, revoyant les statues se découper sur la ville, il décide de marcher à côté de ces pas, pensant ainsi éviter de former un angle d'environ quatre-vingt-huit degrés avec ce jeu de pantins abandonnés.

Il ouvre les paupières. S'étaient-elles seulement fermées ? Il s'imagine un tas de choses qui lui sembleront sans doute invraisemblables avec le recul, mais puisque jusqu'ici personne ne s'est présenté pour le contredire ou lui donner raison, il se met, l'esprit momentanément apaisé, à réciter du Pouchkine, comme si les souvenirs allaient tout bonnement lui revenir de leur propre chef :

> De temps en temps
> une petite feuille, jaunie,
> tombe d'un bouleau ;
> et les vastes champs,
> déjà moissonnés,
> offrent à l'œil la brise
> d'un brillant vide automnal.

Huit fois huit pas plus loin, il avance et, sans avoir à se retourner – économie de revirements inutiles –, il réalise qu'il forme un angle qui ne devrait pas être avec ces inquiétantes statues qui se trouvent maintenant derrière lui. Encore une fois, il tente de se convaincre que cet angle ne viendra pas bientôt nier d'un trait la moitié de son existence.

Un rictus se dessine sur son visage, mais il ne grimace pas vraiment. Disons plutôt que cette contorsion vient se glisser comme un masque sur son visage. Le dédoublement de l'image présente l'avantage de montrer l'insignifiance de la chose représentée. Ce rictus n'est plus qu'une histoire de muscles contractés par l'habitude et ne mérite pas notre compassion. De toute façon, chaque nouveau pas amène l'angle à se refermer, libérant du même coup son visage du poids de l'image en question. Il s'avance en douceur, en espérant se soustraire à la violence de l'approche, afin de stabiliser ce grand bourdonnement géométrique qu'est le battement de son cœur.

La nuit, car c'était toujours la nuit, il s'endormit. On aurait dit une petite pluie fine. Quand il se réveilla, on entendit toutes sortes de choses, des bottes qui écrasaient l'herbe, des pieds qui raclaient le sol, des gens qui marchaient, qui rôdaient, qui allaient et venaient.

Il n'y avait pas d'étoiles, juste un ciel plombé, gris, sans aucune lueur d'aube.

Les bars étaient fermés. Tout le monde dormait.

— Personne n'en saurait rien.

S'en allèrent alors en poussière et le fer et l'argile, et le bronze et l'argent et l'or, tandis que cette pierre qui frappa la statue devint bientôt une grande montagne qui surplomba nos illusions quotidiennes, travaillées par le temps qui ne s'arrête pas.

J'aurais dû la fermer, se répéta-t-il à l'infini, incapable de se détourner de ce spectacle aveugle qu'était pour lui devenue la vie, ébloui par sa propre impuissance et l'éclat de ses éclats, de rire, de joie.

— Et quoi encore?

Je luttais corps à corps avec un taureau sauvage. De ses sabots il fendait le sol, soulevant une poussière qui obscurcissait le ciel. Je cédais devant lui, lorsque quelqu'un me tira par le bras et dégaina une arme fulgurante. Quand il va au combat, le taureau répand et jette la poussière autour de lui, mais un souffle de vent contraire, le croassement d'un vol de corbeaux, le faux pas d'un cheval, le passage furtif d'un aigle, un songe, une voix, un signe, une brume matinale suffisent à le renverser et porter à terre. Qu'on lui jette une poignée de poussière dans les yeux, une poignée de terre dans la bouche, et pour lui le monde n'a plus des ruines que la blancheur du sable ou la pesanteur de la pierre.

Un homme est étendu par terre, insensible, muet, immobile et froid. On le tourne et le retourne, on l'agite, le brûle : rien ne le tire de son sommeil. Un sabre chauffé à blanc ne lui soutirerait pas le moindre signe de vie. On le croit mort. L'est-il? Non. Il s'agit d'un disciple de cet homme qui, chaque fois qu'il le voulait, s'aliénait tellement l'esprit de chants répétés qu'il restait étendu par terre, comme mort, au point de ne plus sentir, non seulement quand on le pinçait ou le piquait, mais même quand on le brûlait ou le coupait, quitte à en souffrir plus tard.

On l'avait privé de ses papiers, de la mémoire même de son nom, et on l'avait laissé là pour mort. Les instants qu'il avait vécus avant son départ lui étaient si précieux qu'il aurait voulu inventer une machine à se souvenir de tout pour n'en laisser échapper aucun, comme ces disques d'or qui, la cantatrice morte, se remettent à chanter avec cette voix qu'on croyait tue.

Un minimum de mémoire est indispensable pour vivre vraiment. Je suis si voûté que je ne vois plus mes pieds et, si toutefois j'ouvre les yeux, c'est un peu de poussière noirâtre que je vois.

Des grains de sable. Il avala sa salive comme une gorgée d'eau. L'eût-on regardé à cet instant qu'on l'eût cru en train de se noyer. Il n'avait donc pas soif. C'était l'image d'une ville morte qui gisait devant lui. Vision magnifique et triste, que ces vestiges d'une ville unie comme un grand palais, ou restes d'un grand palais de la taille d'une ville. Mais, comme la ville morte vivait, il aurait voulu, faute de mieux, faute d'autre chose, la visiter.

Maintenant j'étais là, dans ce village sans bruits. J'entendais le choc de mes pas sur les galets dont les rues étaient pavées, mes pas répercutés par l'écho des murs que le soleil n'effleurait plus depuis déjà trop longtemps.

Je marchais dans la rue principale et je regardais les maisons vides, aux portes déboîtées, envahies par ces herbes sauvages qui n'attendent que le départ des hommes pour reprendre leurs droits. Je n'entendais rien. Ni le bruit des enfants en train de jouer, ni les chiens qui jappaient, ni les belles filles qui se faisaient siffler ou klaxonner. Faute d'habitude, faute d'acuité, je voyais le silence comme un manque, alors qu'on y retrouve à la longue toutes sortes de bruits tantôt étranges, tantôt familiers. Fin seul dans une ville déserte, j'aurais pu retrouver mon chemin en m'orientant d'après le bruit de l'eau qui creuse le sol, s'il avait plu, ne serait-ce que récemment. Mais non. On entendait seulement, au loin, la rumeur vivante des environs, et encore, la trompeuse rumeur que transportait le vent, là-haut, quelque part, au milieu du sable et des feuilles mortes.

Pour un instant, je restai figé comme cet homme qui clope au bec fut tué un après-midi sans nuages, frappé par la foudre d'été, tué dans la chaleureuse ouverture de sa propre fenêtre – c'était en Virginie, dans la première moitié du xixᵉ siècle –, et demeura penché sur l'extérieur de cet après-midi rêveur, jusqu'à ce que quelqu'un le touchât, et qu'il s'effondrât enfin.

Rien ne s'était mis en travers de mon chemin. Un ciel noir, sans étoiles. Quelques nuages, dans l'ombre, quelque part au-dessus des terres, tout l'espace devant ma tête.

Heure morte, il n'y aura pas grand monde. Personne n'aime regarder les choses en face. Pas une âme, méandres, bois de construction, poutres empilées, ruines et demeures. Il passe avec une joie qui n'est pas à lui sur un tracé de marelle à demi effacé. Toujours personne d'autre.

Ça ne peut plus continuer comme ça, constate-t-il avec des éclats d'humanité dans la tête. Impossible, il s'effondre, mais il y a rotation de l'autre, dans une sorte de prolongement inespéré d'une volonté papillonnante. Il se retourne, s'étirant comme un chat sous une chaise. C'est une idée, un picotement, rien d'agréable, rien de plus. Une odeur, une main au visage, un mouchoir. Un pas de plus vers la tombe.

On pleure, on sourit, on dit bonjour avec la main. Odeurs, souvenirs et blessures s'agglutinent. On tourne le coin du cimetière, et puis c'est tout. Arrivés au bout du cortège, la mort vue, on rentre à la maison.

Personne n'est venu. La ville était officiellement déserte. Rien ne dure sans fin. Nul souvenir, si intense soit-il, qui ne s'éteigne. Sueur, poussière, terre qui tremble. Un soleil neuf, presque froid, défiguré par la poussière de la terre, tournoya sur les choses et leur rendit leur forme. La terre en ruine était devant lui, vide.

Le froid du désert gagnait ses veines, son sang répandu sur le sable encore chaud. Ses yeux bougeaient à peine, sautaient d'un souvenir à l'autre, effaçant le dessin du présent. Soudain, son cœur s'arrêtait, et c'était comme si le temps s'arrêtait. Et le souffle du vent, et les étranges dessins dans le sable.

Il ne pouvait pas sérieusement croire qu'il se souvenait de l'Égypte. Il ne le croyait pas sérieusement.

Il essaya de se lever, fit quelques pas, puis il s'abattit, une supplication muette aux lèvres, comme un tas de pierres s'écroule lentement.

Cela lui rappela La Fontaine : « La corde se rompt : crac, pouf, il tombe à terre ! »

La sagesse que l'on dit stérile est la mère des anges. Celui qui sort du monde n'est plus prisonnier comme il l'était dans le monde. Il est au-dessus du désir, de la mort et de la crainte, maîtrise la nature, est supérieur à l'envie. Certes, le monde mange des cadavres, mais la vérité se nourrit de vie, et celui qui la recherche ne meurt pas, car l'ignorance seule est la mère de ce mal qui entraîne la mort. Or, ce que produit l'ignorance n'a jamais été, n'est pas et ne sera jamais, tandis que les hommes qui sont dans la vérité seront immortels quand toute la vérité se révélera.

Il y a malgré tout ceux qui marchent beaucoup et n'avancent guère. Lorsque vient le soir, pas de ville à l'horizon ni de village, rien. Pas de créatures, de puissances spirituelles, pas un ange.

— Aura-t-on souffert en vain ?

L'Évangile de Philippe est sans doute apocryphe, mais le corps ne saurait résister plus longtemps à cet appel au calme lancé, comme en suspens, depuis les origines. La ville qui compte pour nous demeure celle que nous portons en nous, avec nous, où nous avons découvert la beauté, l'infini, la puissance et la fragilité des jours, le passage du temps et de ses promesses, le mal, la désillusion, l'irrationnel, le bonheur et l'amour, le sens de la vie se construisant dans un à-peu-près permanent. Ouvrage inachevé, bras ouverts sur l'infini et paupières chaque fois trop tôt refermées : F-I-N, mais trop tôt prononcée.

Si l'on décomposait toute chose en ses plus petites parties possible, il pourrait ne plus rien rester, au bout du compte, de ce que l'on appelle société, mis à part des individus purs qui, particules libres, voleraient pêle-mêle dans un nuage de poussière, au point zéro de la cohérence. L'auteur d'une enquête sur l'entendement humain dit : « Il n'y a plus de moi, mais seulement un papillotement de présences inexplicables. Ne parlons plus d'un univers réglé par une sagesse dont nous ne saisissons que le reflet : parlons seulement d'une poussière de phénomènes, et restons-en là. »

Il n'y aurait eu personne et par conséquent personne n'aurait rien vu. La cité, si quelqu'un avait tourné la tête. Mais il n'y aurait eu qu'un corps, quelqu'un qui aurait vu, de petits chocs nervurés lui chatouillant la rétine juste avant de disparaître, des cercles concentriques, comme s'il était sous l'eau et qu'on avait lancé une pierre à la surface.

On chercherait à rattacher ceci à cela, puis l'on trouverait quelque chose que l'on n'aurait pas cherché. Par exemple, que le bruissement des feuilles aurait été le fait de bandes de papier collées à la sortie d'un conduit d'aération.

Les parois blanches seraient couvertes de couches de cendre et la pluie continuerait de suinter à travers les moisissures qui noirciraient le bout des doigts lorsqu'une soudaine perte d'équilibre forcerait la main à prendre appui contre ce qui aurait repoussé l'œil l'instant d'avant.

Des bouffées de vent remueraient de la poussière dans le silence de la place déserte, comme si la brise avait été un fantôme léger en train d'assouplir ses membres en vue d'une attaque-surprise.

Doté d'une certaine mémoire et par ricochet d'une certaine compréhension du monde, il aurait compris que la tête lui tourne – tout pour ne pas vomir –, complètement déshydraté, serrant entre ses doigts un ruban rose et une rose, un ruban rose et une grande diagonale, tracée à la chaux sur le mur d'en face.

Plissant le front, dans le seul but de voir un peu plus loin, c'est-à-dire un peu plus clair, il aurait vu qu'elle soulignait une inscription. Ne sachant trop quoi penser, il se serait avancé. Puis il aurait lu, tout haut, penchant la tête de côté comme un chien qui écoute très attentivement son maître sans le comprendre : « *Plaudite, cives.* »

C'est dans le cours de cette dernière heure, longue pour lui comme une année, qu'il faudrait placer toute cette existence qu'il aurait si peu sentie passer et qui lui apparaîtrait avec une plénitude, presque une immensité, à jamais impossible et pourtant aussi indispensable que cette ville revenue flotter dans le regard de son orgueil immense.

C'est au bout de ce souffle discontinu, tantôt vivant, tantôt poussière, qu'il s'effondrerait aussi sèchement que frappe la foudre, entendant dans sa tête la mort souffler (un peu plus près, un peu plus clair) :

— Citoyens, applaudissez !

L'IDIOT DE PLESSISVILLE

Un idiot qui habitait derrière un érable se servait de ce dernier comme point de repère.

« Il y a un érable, scandait-il aux quatre vents, devant ma maison. »

Le hic, c'est qu'il y avait aussi un érable derrière sa maison qui l'empêchait de distinguer le devant du derrière.

L'idiot tenta de régler le problème en coupant l'érable de devant (ou de derrière, il n'était pas sûr), histoire de se bricoler une machine à savoir où l'on est.

« Comme ça, pensait-il à voix haute, je n'aurai plus besoin de repères. »

L'idiot, qui n'était pas un inventeur-né, échoua sans surprise dans son entreprise et planta un nouvel érable à la place de l'ancien pour réparer son erreur.

La différence d'âge qui séparait désormais les deux érables permettait à l'idiot de distinguer le devant du derrière de sa maison, mais elle permettait tout aussi facilement de distinguer le derrière du devant, ce qui ne l'avançait guère dans sa quête de repères sûrs.

L'idiot n'osait plus sortir de chez lui.

Un soir, il rêva à une belle idiote aux cheveux d'or qui l'attendait de l'autre côté de la rivière.

L'idiot y vit un présage et sortit de sa maison en pleine nuit. Il partit malheureusement du mauvais côté, en pensant sortir par devant alors qu'il sortait par derrière, et ne rejoignit jamais la rivière. Heureusement pour lui, son rêve lui avait aussi fourni de faux repères. L'idiot finit donc par rencontrer une brunette intelligente qui lui fit remarquer que son rêve n'avait ni queue ni tête et qu'il ferait aussi bien d'aller se recoucher en espérant faire un meilleur rêve la prochaine fois. L'idiot allait se retourner quand la brunette l'invita à dormir chez elle, ce qu'il fit avec plaisir, un plaisir tel qu'il ne ferma l'œil qu'aux petites heures du matin.

L'idiot se réveilla six jours plus tard avec les idées les plus claires qu'il avait eues depuis qu'il était au monde. Sa nuit dans les draps de la brunette avait été si chaude qu'il n'avait pas senti son sexe se détacher de lui au moment fatidique où la brunette enlevait sa perruque pour révéler les cheveux d'or qu'il avait vus dans son rêve.

L'idiot se rendormit avec une idée en tête, ce qui en faisait déjà une de plus qu'avant et troublerait son sommeil pour le restant de ses jours. Il épouserait la première venue, aurait des enfants et nourrirait son monde en découpant des carcasses d'animaux de ferme dans une salle réfrigérée jusqu'à ce que ses mains s'engourdissent et que la belle idiote aux cheveux d'or lui rappelle en pointant la porte qu'il était l'inventeur d'une machine à savoir où l'on est. En conséquence de quoi, bien qu'alors à l'intérieur de son humble demeure, l'idiot se saurait dehors.

À son réveil, l'idiot avait perdu le fil de son idée. Au lieu de s'apitoyer sur son sort comme n'importe quel idiot de répertoire, il coupa l'autre érable à l'origine de son malaise et se bricola une machine à s'égarer.

Contre toute attente, celle-ci, cette fois, fonctionna.

Lorsque l'on retrouva le corps mutilé de la belle idiote aux cheveux d'or (l'examen de ses entrailles déchiquetées révéla que son agresseur la savait enceinte), l'idiot de Plessisville s'était évanoui dans la nature.

Je maintiens, puisque je suis raciste,
que jamais les Blancs n'égaleront les
Noirs en matière de jazz.

NOIR DE MONDE
Récit new-yorkais

J'ai marché sur un pied. Il n'y avait personne, et pourtant, je venais de marcher sur un pied. « Pardon ! » ai-je demandé en pure perte, car il n'y avait pas un chat.

J'avais marché sur un pied, c'est vrai, or aucune jambe ne s'y rattachait, pas plus que l'ombre d'un torse ne se rattachait à cette jambe, ni de tête ou de bras à ce torse, et pas un trait de chevelure, de bouche ou d'oreille ne venait masquer cette absence de tête pour venir me juger, m'engueuler ou me désapprouver avec mépris.

J'avais marché sur un pied, m'étais excusé de manière absurde, et m'étais soudain senti coupé du monde dans lequel je vivais. C'est à peu près à ce point de l'histoire, m'ont plus tard raconté les ambulanciers, que j'ai cessé de respirer.

Je ne sais pas ce qui s'est passé pendant que j'étais dans les pommes, mais, quand j'ai repris connaissance, il y avait une femme sur moi. Une magnifique femme noire.

244

Elle ne parlait pas anglais et, pour être tout à fait franc, moi non plus. Ses puissantes cuisses athlétiquement serrées contre mon corps me faisaient l'impression de caractères cyrilliques : difficiles à comprendre au début, mais mystérieusement délicats dans leurs mouvements et aussi immobiles au repos qu'un grand chat tigré, leur voix claire murmurant des vers épigrammatiques d'une intelligence pince-sans-rire réconfortante, et leurs motifs, quasi subliminalement reconnaissables : visage ironique dont le nez se change en une ligne détachable, chiens bousculés et chats inquiets, scènes apocalyptiques d'émeutes populaires et de chaos urbain, cadre bizarre des lieux communs de la vie en Afrique sur une chaîne de montage cosmopolite.

Elle était là, majestueusement assise, comme le produit d'une intelligence si finement ciselée et réfractée dans son labyrinthe de miroirs linguistique qu'elle ne suggérait aucun parallèle. En un mot, sa seule vision m'apparaissait comme une forme de pensée en soi. La performance était superflue, je m'éveillais au repos.

EFFRAYANTE ET SUAVE INFINITUDE

J'ai relégué Iseut la Blonde aux oubliettes en la remettant au roi Marc après l'avoir ramenée d'Irlande, où j'avais obtenu sa main de son père pour avoir libéré leur royaume d'un dragon. C'est donc dans le but de se venger de l'avoir ainsi conquise pour le bien d'un autre que la reine aux cheveux d'or alla elle-même trouver les quatre barons de Cornouailles (le vil Andret, l'odieux Guenelon, l'abject Gondoïne et l'ignoble Denoalen), qui m'enviaient ma position à la cour du roi depuis que celui-ci m'avait pris sous son aile à la mort de mon père, quatuor conspirateur qu'elle alla trouver, dis-je, afin de leur demander de composer sous le titre à double entente de *Tristan et Iseult* les affreux mensonges qu'une poignée de complices anonymes eut tôt fait de répandre comme une traînée de poudre de l'Hexagone (*Tristan et Iseut*) au Royaume-Uni de Grande-Bretagne et d'Irlande du Nord (*Tristan and Iseult*) en passant par l'Italie (*Tristano e Isotta*), le Danemark (*Tristan og Isolde*) et l'Allemagne, où la tragédie wagnérienne de *Tristan und Isolde* inspirera à Nietzsche ce commentaire plus près de la vérité que l'habituel cortège de poncifs sur l'amour-passion couronné par la mort : « Aujourd'hui encore, je cherche en vain une œuvre provoquant une aussi dangereuse fascination, une aussi effrayante et suave infinitude que *Tristan und Isolde*. » Titre à double entente, disais-je, puisque j'avais entre-temps épousé Iseut aux Blanches Mains, la simple, la belle, au grand dam de l'autre Iseut, la blonde aux yeux de glace, la froide sorcière dont la meurtrière jalousie me condamne aujourd'hui à mourir pour entrer contre mon gré dans une légende hypocrite qui continuera d'assassiner mon amour véritable longtemps après la mort de cette vérité triste et orpheline que j'emporterai dans la tombe, ma langue pourrissant six pieds sous terre avec ce clandestin témoignage rédigé sur un bout de parchemin que j'ai dû avaler en vitesse afin d'en retarder, ne serait-ce que d'un siècle, la disparition.

AU ROYAUME DE LA CONVERGENCE
Conte à rebours

Découragé, il se retourna pour rentrer chez lui et mit les talons dans le palais pour n'en plus jamais ressortir. Au terme de ces épreuves, il arriva devant un grand château dont les portes ne menaient qu'à l'extérieur. Il rencontra un personnage bénéfique qui ressemblait à sa mère et un personnage maléfique qui ressemblait aussi à sa mère. Il eut deux fois recours à un objet magique qui s'appelait le mot de la fin. Il passa quatorze jours sans boire ni manger. L'homme s'éloigna du marchand à reculons. « En aucun cas, lui raconta le vieux marchand, tu ne dois prononcer le mot "chimère". » Il rencontra plus tard un marchand chinois qui lui demanda de trouver pour lui le nombre d'or. Profitant de la situation pour partir à la recherche d'une vie nouvelle, l'homme se retourna pour partir et rentra chez lui. Quand il arriva chez lui, sa mère était en train de lui lire l'histoire de l'homme qui, marchant à reculons, quitta sa maison alors qu'il voulait y entrer. Profitant de la situation pour partir à la recherche d'une vie nouvelle, l'homme se retourna pour partir et rentra chez lui. Il rencontra plus tard un marchand chinois qui lui demanda de trouver pour lui le nombre d'or. « En aucun cas, lui raconta le vieux marchand, tu ne dois prononcer le mot "chimère". » L'homme s'éloigna du marchand à reculons. Il passa quatorze jours sans manger ni dormir. Il eut deux fois recours à un objet magique qui s'appelait le mot de la fin. Il rencontra un personnage maléfique qui ressemblait à sa mère et un personnage bénéfique qui ressemblait aussi à sa mère. Au terme de ces épreuves, il arriva devant un grand château dont les portes ne menaient qu'à l'extérieur. Découragé, il se retourna pour rentrer chez lui et mit les talons dans le palais pour n'en plus jamais ressortir.

SUR UN PLAN DE *SHOAH*

Il neige sur Auschwitz. Il neige dans les rues d'Auschwitz. Des rangées de bâtiments, de baraques, des rangées d'arbres. On dirait presque des maisons ordinaires. Des fenêtres. Population zéro. De nombreuses fenêtres percent les façades de brique rouge. Il neige. Les toits sont blancs. Population zéro. La rue est déserte. Il y a encore des feuilles dans les arbres. Il neige. Population zéro. Les cheminées de brique rouge percent la couverture de neige qui recouvre les toits. La rue est déserte. Population zéro. La neige tombe sur les pavés humides, réchauffés par le soleil et le passage de véhicules, fantômes, banalisés. Pas un chat. Il neige. Population zéro. Aucune fumée ne s'élève des cheminées. Les « maisons » ne sont plus habitées que par le froid, la hantise et l'incompréhension. Images qui sont pour moi les plus belles et les plus troublantes du film documentaire de Claude Lanzmann.

CHIBOUGAMAU N'EXISTE PAS

Je viens d'un pays, d'une ville, d'un point dans l'espace qui n'existe pas. Je viens d'un x sur la carte. Signature analphabète d'un colon explorateur. Ce x à peine lisible à l'œil signifie Chibougamau dans son insignifiance même. Je viens d'un endroit dont les habitants, Chibougamois et Chibougamoises, n'existent pas. Je viens d'un endroit où, les Chibougamois n'existant pas plus que les Chibougamoises, nulle reproduction n'aura lieu avant des lunes. Du x fondateur de l'endroit est né ce vacuum démographique, un creux d'habitants de nulle part, division en rangs d'un territoire spectral dépeuplé de trous d'yeux perdus vissés aux judas des portes.

Non, il n'y a pas l'ombre d'un chat à Chibougamau. S'il n'y a pas l'ombre d'un chat là, c'est que les chats de Chibougamau n'ont pas d'ombres et que celles-ci n'ont en retour pas de chats. Quand les 8 664 inhabitants de Chibougamau s'imaginent le néant, ils ne pensent pas à Sartre (dont les livres sont comme tous les autres introuvables à Chibougamau de toute façon) ou à la vallée germanique de Neander, près de Düsseldorf. Non, ils s'imaginent un chat dont l'ombre du doute a pour nom Chibougamau.

C'est en suivant cette ligne de pensée particulière à la région* que les géographes et les historiens de Chibougamau se sont entendus pour dire que les 206 km² du lac Chibougamau n'ont aucun sens et qu'il faudrait en conséquence en parler le moins possible.

De cette doctrine fondamentale est né l'agnosticisme tel qu'on le connaît aujourd'hui, doctrine philosophale (et non pas religieuse) qui déclare l'absolu inaccessible à l'esprit humain et professe une complète ignorance touchant la nature intime, l'origine et la destinée des choses.

Selon la fille de l'ambassadeur d'Autriche à Chibougamau, qui aurait fait des études au Trinity College de Cambridge avec un certain Nabokov en 1919–1920, c'est en revenant d'un court passage à Chibougamau que l'oncle du neveu de Wittgenstein aurait terminé son *Tractatus logico-philosophicus* de 1921 par le fameux aphorisme : « Ce dont on ne peut parler, c'est cela qu'il faut taire. » Que Wittgenstein n'ait à notre connaissance jamais mentionné Chibougamau, si l'on suit ce trait logico-philosophique jusqu'à son terme, confirme l'influence de ce séjour chibougamois sur sa philosophie.

---

* Ligne de pensée parallèle à elle-même et par conséquent incapable de se rencontrer dans l'infini ou – pour faire plus court et plus long d'une même brosse en abyme – dans un bar de Chibougamau.

Cela ouï-dit ou non, indifférents à leurs émules des vrais pays, les taciturnes de Chibougamau, qui représentent la population entière et personne en particulier, sortent généralement de leur réserve naturelle pour ne dire qu'une chose et une chose seulement : « Le cuivre ne pousse pas dans les arbres. »

LE PREMIER VOYAGE DE RYAN OAK

Est-ce parce que le microcosme et le macrocosme sont édifiés sur l'incertitude du vide, parce que William Allingham a écrit *Lawrence Bloomfield in Ireland* en 1864 ou parce que son propre père est disparu quelques années plus tôt ? Tout ce que nous savons, c'est que Ryan Oak est arrivé à Terre-Neuve, par une nuit pluvieuse et sans lune, sur un bateau de pêcheurs en provenance du Danemark.

Ryan dormait sur le pont, les jambes complètement étendues, les bras détendus, les muscles de la nuque relâchés, dans cette posture que l'on associe à la phase *paradoxale* du sommeil, laquelle correspond, selon les spécialistes de la chose, à l'activité onirique.

Combien de gens naissent pour mourir, donner corps au degré zéro de l'existence : naître pour naître et n'être que de passage, venir à la vie pour aller à la mort, sans espace entre les deux, sans une minute à soi pour se traverser soi-même. Tunnel sans bouts ni lumière. Ainsi de suite. Infantile mortalité, combien peut-il de fleurs pousser pour sitôt à l'insu du monde se faner ?

Il avait pris des stupéfiants pour oublier. Sa narine gauche était d'ailleurs à ce point dilatée qu'un albatros égaré y eût fait son nid.

Il n'avait pas connu son père. «Je suis le spectre de ton père, aurait-il dit à Ryan, condamné pour un temps à parcourir le monde.» Rêve, puis idée, puis monde, puis oubli, puis coquille vide à la dérive, dépouille glacée comme ce gâteau à la vanille. Des poussières d'atomes tournent, se croisent, passent. Un mobile de formes illusoires immobilisé dans l'espace et remobilisé dans l'air. Inutile d'approfondir, nous n'en saurons pas plus.

Ryan s'est relevé comme si de rien n'était, mais ses yeux semblaient encore regarder vers l'intérieur, mollusques inintelligents flottant de gauche à droite, cherchant une issue, dans l'épaisseur lenticulaire. Ryan n'avait rien compris de la lettre – dont l'écriture portait la trace d'une agitation souterraine – que lui avait envoyée son père juste avant son propre départ :

Mon très cher fils,

Tu examineras avec attention ce que j'étais, et voyant que je ne pouvais feindre de n'avoir aucun corps, et qu'il n'y avait aucun monde ni aucun lieu où je puisse être ; mais que je ne pouvais feindre pour autant de ne pas exister ; et qu'au contraire, du fait même que je pensais à douter de la vérité des autres choses, il suivait très certainement que j'étais. Au lieu que, si j'avais seulement cessé de penser, encore que tout le reste de ce que j'avais imaginé eût été vrai, je n'avais aucune raison de croire que j'eusse été. Je connus de là que j'étais une substance dont toute l'essence ou la nature n'est que de penser, et qui, pour être, n'a besoin d'aucun lieu ni ne dépend d'aucune chose matérielle. En sorte que ce moi, c'est-à-dire l'esprit, par lequel je suis ce que je suis, par lequel je suis qui je suis, est entièrement distinct du corps, et plus facile à saisir que lui, et que, encore qu'il n'existerait pas du tout, il ne laisserait pas d'être, mon fils, tout ce qu'il est.

Ton père qui t'aime,
Rowan Oak

UN 26 DÉCEMBRE APRÈS-MIDI

La préposée du 9-1-1 a répondu et j'ai dit : « Bonjour, mon père est mort. » Mais je n'avais pas eu l'air assez paniqué et elle ne m'a pas cru. C'était le jour après Noël et je venais de me réveiller, au milieu de l'après-midi. Il devait être deux heures et demie, trois heures moins quart, ma belle-mère était déjà retournée faire du neuf à cinq dans sa boutique de téléphones intelligents, et mon vieux père avait assez bu la veille pour que j'attende d'avoir pris ma douche et préparé du café avant de le réveiller pour le déjeuner.

Quand je suis remonté avec l'odeur du bacon (qui crépitait dans la poêle), mon père était mort.

La préposée a raccroché en me disant que le 9-1-1 serait même en droit de me mettre à l'amende pour ce genre de mauvaise blague.

J'ai hésité un instant avant d'appuyer sur la touche de recomposition automatique. La préposée du 9-1-1 a répondu. C'en était peut-être une autre, mais je n'ai pas pris de risques et j'ai dit : « Écoutez, mon père est mort et je n'ai pas le cœur à rire. » Cette fois-ci, j'ai l'impression qu'elle a carrément eu peur de moi.

Les gens s'entendent d'habitude pour dire qu'il faut garder son calme dans les situations d'urgence, mais le jour où vous trouverez l'un de vos proches mort dans son sommeil, je vous conseille de tenir des propos incohérents, sur un ton hystérique, sinon on remettra en doute votre humanité, et la lézarde au fond de vous écartèlera vos esprits aussi brutalement que Robert François Damiens*, les os des fémurs déboîtés et les deux jambes ramenées le long des côtes, étirées mais non rompues, jusqu'à ce qu'enfin le bourreau s'approche et tranche les tendons, les quatre membres tombant comme des mouches, un à un. Tout ce qui reste de l'homme quand il est jeté au bûcher n'est qu'un tronc dont la poitrine se soulève, indécent spectacle, et dont les yeux se convulsent, visage tordu, la langue projetée entre les dents, broyée par les mâchoires qui grincent, dont les lèvres bougent, couvertes d'un épais mélange de salive et de sang, et se mêlent aux flammes. Léché par elles, le visage rougit, tourne au mauve et gonfle, les yeux pleins de larmes sortent des orbites, la respiration s'interrompt, puis les mouvements

* Exécuté à Paris le 28 mars 1757, cet épileptique fut accusé de tentative d'assassinat sur la personne du roi Louis XV, qu'il avait légèrement blessé d'un coup de canif à deux lames pour des motifs inconnus. Après sa mort, sa maison natale fut rasée avec interdiction de rebâtir ; la femme, sa fille et son père furent bannis du royaume de France et menacés de mort immédiate en cas de retour, et le reste de sa famille fut contraint de changer de nom.

cessent, le corps entier se relâche, le sphincter se détend et les évacuations salissent l'homme.

Banni de l'humanité, je ne saurais trouver les mots pour décrire avec concision ce que vous ressentirez alors. Si je me laissais aller, j'emprunterais à la préposée du 9-1-1 l'une de ces formules anglaises traduites mot pour mot dans sa tête, mais mon éducation m'empêche d'écouter mon cœur. Si jamais vous l'entendez quand même, envoyez la préposée rejoindre mon père au diable.

— Et alors ?

Tout l'enfer va craquer libéré.

L'AVALEUR-ARTISTE

C'est en avalant par mégarde un plat tiré d'un livre d'art culinaire que l'avaleur-artiste eut l'idée de devenir lui-même et d'avaler des objets d'art pour gagner sa vie.

En début de carrière, il n'avalait que de menus objets parmi lesquels les plus célèbres demeurent à ce jour les dix-huit volumes de *La comédie humaine* (« œuvre colossale, mais, tout compte fait, confiera l'avaleur-artiste à son biographe, pas plus difficile à avaler littéralement qu'intellectuellement ») et une aquarelle académique de Jackson Pollock (38 × 50 cm) datant d'avant la technique de l'*action painting* pour laquelle il est aujourd'hui connu.

Avec l'expérience, il avala des œuvres de plus en plus impressionnantes, du *Divan-lèvres de Mae West* de Dalí aux neuf symphonies de Mahler, dont la *Symphonie des Mille* en mi bémol majeur, partitions, instruments et instrumentistes inclus.

C'est à l'angle de la 89e Rue et de la 5e Avenue que l'avaleur-artiste croisa l'imprésario qui promit de faire de lui une vedette internationale s'il acceptait de relever un défi artistique de taille : avaler le musée Guggenheim.

Dessinée par l'architecte Frank Lloyd Wright, qui mourut avant la fin des travaux, la structure en hélices du Guggenheim new-yorkais dominait Central Park à l'angle de la 89e Rue et de la 5e Avenue, où l'imprésario avait donné rendez-vous à l'avaleur-artiste, lequel s'engagea à avaler le musée sur-le-champ.

L'avaleur-artiste commença par engloutir les collections Vassily Kandinsky et Piet Mondrian pour lesquelles le musée avait d'abord été fondé sous le nom de Museum of Non-Objective Painting (« Musée d'art non figuratif »). Puis il avala avec une méthode remarquable les collections Édouard Manet, Claude Monet, Paul et Paul, Cézanne et Gauguin, Auguste Renoir, Vincent Van Gogh, Franz Marc, Robert Mapplethorpe, Frank Stella, László Moholy-Nagy, Gino Severini, Pierre Bonnard, Georges Seurat, Pablo Picasso, Marc Chagall, Robert Delaunay, Fernand Léger, Amedeo Modigliani, Jean Robert Ipoustéguy et autres grands noms du monde de l'art, avant de s'attaquer à la structure même du Musée en ouvrant la bouche avec une démesure d'une obscénité telle qu'une bonne centaine d'amateurs d'art présents ce jour-là, le voyant à l'œuvre, s'évanouirent ou déféquèrent en hurlant.

Les grands artistes, c'est connu, laissent souvent derrière eux un ultime ouvrage inachevé en guise de testament artistique. Les mâchoires déboîtées en spirales autour du Guggenheim, l'avaleur-artiste ne fit pas exception à la règle. « De tous les animaux, fabulait La Fontaine, l'homme a le plus de pente à se porter dedans l'excès. *Rien de trop* est un point dont on parle sans cesse, et qu'on n'observe point. »

DU RIRE ET DE L'OUBLI
J'ai oublié – III

J'ai oublié quel imposteur a attribué à Flaubert le célèbre «Madame Bovary, c'est moi» qu'il n'a jamais prononcé.

*

J'ai oublié quel âge j'avais quand j'ai réalisé que le mot «Monsieur» ne se prononçait pas «mon scieur», comme je l'ai longtemps cru en lisant le mot sans le comprendre dans les *Tintin* que je dévorais quand j'étais jeune.

*

Je sais, parce que je me le rappelle, que les verbes en «eler» et «eter» prennent respectivement deux *l* et deux *t* devant un *e* muet». Quant à savoir pourquoi les verbes comme «répéter» rejettent la règle des lettres qui se répètent, je l'ai oublié. Dans le doute, je dirai que c'est une question d'accents, mais seulement dans le doute.

*

J'ai oublié le nom du roi qui est mort de la fièvre typhoïde
après avoir bu l'eau du Jourdain lors d'un pèlerinage en
Terre sainte.

*

J'ai oublié les gestes quotidiens dont les ramifications
facilement observables permettent au commun des mortels de comprendre les enjeux métaphysiques soulevés
par l'équation de Schrödinger.

*

J'ai oublié, comme tout le monde, qu'au matin du 11 septembre 2001, personne ne s'attendait à ce que les tours
s'effondrent et que, comme tous ceux qui ont vu la chose
en direct ce jour-là, j'ai eu l'impression d'assister avec
leur effondrement symétrique à l'une de ces spectaculaires démolitions contrôlées d'édifices désuets ou abandonnés qu'on continue de nous présenter sporadique-
ment quand les bulletins de nouvelles n'ont rien de mieux
à diffuser entre deux blocs publicitaires, le Dow Jones
et la météo. C'était le chaos dans les rues new-yorkaises
comme dans les salles d'informations du monde entier,
et personne ne savait rien de rien. On parlait alors d'un
bilan potentiel de plus de cinquante mille morts. L'imagination était frappée, le mal était fait, et plus personne

aujourd'hui n'oserait, sous prétexte de « respecter la mémoire des victimes », mentionner que, sans l'effondrement des tours, on se souviendrait à peine un peu plus du 11 septembre 2001 que du 26 février 1993, date du précédent attentat contre le même World Trade Center (camion chargé d'explosifs au sous-sol de la tour sud) dont l'Histoire n'a pas fait grand cas. En se rafraîchissant la mémoire sur Internet, le lecteur qui avait oublié cet avant-goût de septembre 2001 tombera peut-être à son tour sur l'incroyable commentaire de Bruce Pomper, courtier dont le choix de mots devait sembler anodin à l'époque : « *If felt like an airplane hit the building.* » Parallèlement, peut-être que nos incrédules « *It looked like a controlled demolition* » de 2001 prendront eux-mêmes une portée moins rhétorique quand les nouvelles tours disparaîtront à leur tour dans un nuage de fumée de la taille du Texas visible de l'espace. C'est ce qu'on appelle tirer des conclusions. J'imagine très bien un commentateur de boxe dire « *It looked like a controlled demolition* » en parlant d'une méthodique mise hors de combat signée Jack Dempsey ou Muhammad Ali. Simple façon de parler ; ça ne prouve rien. Sur une note plus terre à terre, je dois dire que, devant la fatuité du One World Trade Center, nouvel édifice de 1776 pieds de haut en référence à l'année de l'Indépendance américaine (d'où le surnom *Freedom Tower*), je préférais de loin la relative sobriété des deux spectres de lumière bleue de l'installation *Tribute in Light* conçue par les artistes new-yorkais Julian Laverdiere et Paul Myoda (le titre initial était

Phantom Towers, mais les familles des victimes ont fait valoir que la référence aux fameux « membres fantômes » des personnes amputées mettait l'accent sur la disparition des deux tours au détriment des pertes humaines) et réalisée par une équipe d'ingénieurs éclairagistes avec un budget de cinq cent mille dollars et quatre-vingt-huit projecteurs de 7 000 watts reliant ciel et terre du 11 mars au 14 avril 2002.

*

J'ai appuyé mon front en sueur sur l'œil magique et j'ai réalisé que la mémoire échappait aux règles mathématiques. La preuve : la double omission « J'ai oublié ce que j'ai oublié », ne s'annulant pas, ne produit aucun souvenir.

*

J'ai oublié le scandale politico-juridique qui, le matin du 22 janvier 1987, a poussé le trésorier de la Pennsylvanie Robert « Budd » Dwyer à se tirer une balle de .357 Magnum dans la bouche au cours d'une conférence de presse télévisée en direct. En revanche, en plus de l'image du flot de sang continu qui se déverse de la bouche et du nez de feu Budd Dwyer, je me souviens de la devise de l'État de Pennsylvanie : « *Virtue, Liberty, and Independance* », et que c'est dans cet état que fut signée la Déclaration d'indépendance du 4 juillet 1776. Dans ce texte fondateur, John Adams, Benjamin Franklin et Thomas Jefferson ont déclaré le statut « d'États libres et indépendants » des treize colonies anglaises d'Amérique du Nord*, « dégagées de toute obéissance envers la Couronne Britannique » dans la mesure où « tout lien politique entre elles et l'État de la Grande-Bretagne est et doit être entièrement dissous » (je cite l'excellente traduction en français de Thomas Jefferson). De quoi faire saliver d'envie tous les indépendantistes de la planète tandis que les dix provinces canadiennes continuent de caresser secrètement le rêve de leurs indépendances respectives, chaque premier ministre rêvant de son petit État souverain, pourvu que tous s'entendent après séparations pour former ensemble une nouvelle « union à l'européenne », avec une constitution et une monnaie communes, un parlement à Ottawa (parce que Genève, c'est trop loin), un drapeau unifolié, une économie d'échange et de marché libre, l'ensemble pouvant s'appeler l'Union canadienne tout en conservant le diminutif internationalement reconnu de Canada ; tandis que rien de tout cela ne se passe, on en viendrait presque à oublier, non plus la fin tragique et spectaculaire du trésorier de la Pennsylvanie, mais que la reconnaissance britannique de l'indépendance américaine, bien que célébrée par le Jour de l'Indépendance tous les 4 juillet, ne

* Soit le New Hampshire, le Massachusetts, le Rhode Island, le Connecticut, New York, le New Jersey, la Pennsylvanie, le Delaware, le Maryland, la Virginie, la Caroline du Nord, la Caroline du Sud et la Géorgie.

s'est faite qu'avec la paix de Paris (traité de Paris, 1783), la Guerre d'indépendance des États-Unis d'Amérique ne se terminant officiellement qu'avec la signature du traité de Versailles le 3 septembre 1783. Par ce traité de Versailles, la France, ennemie de l'Angleterre, prenait sa revanche sur le premier traité de Paris, qui lui avait vingt ans plus tôt enlevé la Nouvelle-France – rapidement rebaptisée « The Province of Quebec », quatorzième colonie anglaise, par le roi George III (Proclamation royale du 7 octobre 1763) – et plusieurs autres colonies, dont la Louisiane. Signé le 10 février 1763, ce traité de Paris mettait donc fin à la guerre de Sept Ans (1756–1763). À défaut de s'avouer vaincu, écrasé par l'infâme, Voltaire écrit au duc de Choiseul, alors secrétaire d'État à la Guerre et à la Marine* : « Je suis comme le public : j'aime mieux la paix que le Canada et je crois que la France peut être heureuse sans Québec. » Or, en plus du Québec actuel, ce territoire perdu comprenait le sud de l'Ontario, les cinq Grands Lacs, ainsi qu'une bonne partie du Midwest américain correspondant grosso modo au Kentucky, à l'Illinois, à l'Indiana, au Michigan, à l'Ohio, au Tennessee et au Wisconsin. Il faut en effet attendre le Constitutional Act de 1791 pour voir la province divisée en deux colonies : le Haut-Canada (Ontario anglophone) et le Bas-Canada (Québec francophone). Même après la défaite française, et quatre mois après le Boston Tea Party de décembre 1773, le Quebec Act de

* Aujourd'hui, on parlerait plutôt d'un ministre « de la défense ».

1774 avait entre-temps redonné aux colons canadiens-français la liberté de culture sur un territoire qui englobait à ce moment de l'histoire les Grands Lacs et s'étendait sur toute la vallée du Mississippi jusqu'à Saint-Louis. Il s'agissait d'offrir assez de libertés à la majorité francophone (90 000 habitants) pour éviter une révolte contre la minorité britannique (2 000 habitants). Ironiquement, c'est la France elle-même qui, en aidant les treize colonies dans leur guerre contre l'Angleterre, forcera l'arrivée des 50 000 loyalistes qui privera de manière irréversible les Français jadis majoritaires du rapport de force qui avait donné naissance au Quebec Act. Les pôles sont renversés. Aux treize colonies contraintes à une petite bande de terre sur la côte est succède un Empire naissant, conquérant, belligérant : *Make way for the United States of America*. Bref, à ne pas confondre avec l'autre traité de Versailles, celui du 28 juin 1919, on l'aura reconnu, signé dans la galerie des Glaces du château de Versailles. Officiellement : un traité de paix entre l'Allemagne et les Alliés de la Première Guerre mondiale. En réalité : dur retour du balancier contre les Allemands, vainqueurs d'une guerre franco-prussienne (19 juillet 1870 – 28 janvier 1871) dont la France était sortie humiliée, forcée à céder l'Alsace-Lorraine à l'Allemagne, à qui elle dut en plus payer une indemnité de guerre de cinq milliards de francs d'or. Ce traité, signé à Versailles le 26 février 1871, les Français l'avaient encore en travers de la gorge lorsqu'est venu le temps d'imposer au vainqueur d'hier une mise à jour de sa propre médecine. De cette guerre franco-prussienne étaient nés le IIe Reich et la IIIe République et, tandis que l'Allemagne unifiée devenait une puissance industrielle et politique sur l'échiquier européen, la France attendait patiemment l'heure de sa vengeance : 1914, la Grande Guerre. Les conflits coloniaux et la montée des nationalismes (principe d'identité nationale, besoin d'un ennemi pour se définir) auront fini de mener l'Europe aux barricades, aux bombes, aux tranchées. L'attentat de Sarajevo (double assassinat de l'archiduc Franz Ferdinand d'Autriche et de son épouse tchèque Žofie Chotková le 28 juin 1914) n'était qu'un prétexte ; et Gavrilo Princip, étudiant nationaliste serbe, un pantin. En surface, ce 28 juin était le jour de leur 13e anniversaire de mariage. En creux, c'était aussi l'anniversaire de la défaite des Serbes à la bataille de Kosovo face aux Ottomans en 1389. Bref, c'est dans les Balkans qu'est né le concept de « guerre préventive » popularisé par l'administration Bush après les huit ans de *Peace and Prosperity* de l'ère Clinton. Avec ce traité de Versailles, donc, l'Allemagne est tenue seule responsable de la Guerre des Guerres. La France reprend l'Alsace-Lorraine, vengeant sa défaite de 1871 tout en préparant l'ennemi allemand à ruminer dans la haine l'avènement de sa vengeance prochaine : 1939, la Seconde Guerre mondiale. (Rancœurs et frustrations + désirs de conquêtes et reconquêtes territoriales. Il suffit d'ouvrir les mémoires d'un soldat pour se replonger dans l'absurde : « On s'est battus pour des minuscules monceaux d'espaces, des bouts de colline, quelques mètres de bord de mer, des pitons rocheux, le coin d'une rue. Pour des millions d'hommes, la mort est venue d'une légère différence entre deux points parfois éloignés de moins de cent mètres : on se battait pendant des semaines pour prendre ou reprendre la Cote 532. »)

Enfin, c'est le 28 juin 1919, cinq ans jour pour jour après l'attentat de Sarajevo, qu'est signé l'armistice de Rethondes. Paix contrainte n'engendre que ressentiment. Les Français auraient dû le savoir, mais non. L'armistice évite aux militaires allemands la défaite, impasse technique qui permet aux soldats de rentrer au pays «invaincus». Les généraux allemands, comme leurs prédécesseurs français, n'en demeurent pas moins meurtris et humiliés par ce traité de paix avalé de force, comme «un coup de poignard dans le dos» de la part des politiciens et bourgeois dirigeants. Les nazis arrivant au pouvoir en 1933, les paiements de réparation sont stoppés net. On connaît la suite.

*

J'ai oublié quel personnage prononça en 1836 ces quelques mots lors de son discours de réception à l'Académie française : «La comédie de Molière nous instruit-elle des grands événements du siècle de Louis XIV ? Nous dit-elle un mot des erreurs, des faiblesses ou des fautes du roi ? Nous parle-t-elle de la révocation de l'édit de Nantes ? »

La réponse de Flaubert, en revanche, demeure des plus mémorables : « Révocation de l'édit de Nantes : 1685. Mort de Molière : 1673. »

*

J'ai oublié de demander s'il était avec ou sans pulpe avant d'accepter le jus d'orange qu'on m'a offert et que j'ai dû me résoudre à ingurgiter par politesse même si j'avais l'impression qu'un lépreux s'était trempé les lèvres dedans avant moi et y avait laissé une bonne partie de sa peau.

*

J'ai oublié les nombreux concours de circonstances qui ont mené à cette soirée en compagnie de la sœur d'Alain Farah au cours de laquelle celle-ci me confia, sous le couvert de l'alcool, qu'elle craignait que son frère se mette à « prostituer les choses intimes de famille », dans l'un de ces romans autobiographiques que tout le monde se dit capable d'écrire en vertu de l'« argument » classique du « je pourrais faire pareil n'importe quand » asséné devant un Picasso, un Pollock, un Riopelle ou un Rothko.

*

J'ai oublié l'histoire du Laotien qui parvint un jour, de pure mémoire, à réciter en treize heures quatre-vingt-trois

272

mille quatre cent trente et une décimales de la constante d'Archimède sans même se souvenir de l'unique chiffre qui se trouve à gauche de la virgule.

*

J'ai tout oublié de la femme à qui je ne manque pas moins en ce moment même.

*

J'ai oublié la cause (pro-vie ou pro-choix?) défendue par ce camionneur et cet intellectuel du Connecticut qui, à trois mois d'intervalle, ont froidement assassiné leurs cinq enfants à coups de marteau pour promouvoir leur doctrine.

*

J'ai oublié la morale de l'histoire du type qui s'est mouché tellement fort que son œil gauche a éclaté.

*

Je me souviens que l'éditorial du premier numéro de la revue savante *Le Fjord'lance Bazar* révélait d'entrée de jeu que le nom du périodique trouvait son origine dans une anagramme «légèrement trafiquée» de François Rabelais. J'ai oublié l'anecdote qui précisait pourquoi.

Peut-être parce que Rabelais avait fait paraître sa première œuvre majeure, *Les horribles et épouvantables faits et prouesses du très renommé Pantagruel,* sous le pseudonyme anagrammatique de maître Alcofribas Nasier. Peut-être pas.

*

J'ai oublié la cause de décès officielle de l'actrice semi-érotique moldave Lucia Yelsekhova.

*

La statue de Jean Bart, œuvre de David d'Angers érigée le 7 septembre 1845 sur l'ancienne place Royale au centre de la ville de Dunkerque, a été épargnée par les Allemands – qui ne se sont pourtant pas gênés pour détruire plus de 70 % de la ville – parce que l'épée de la statue était pointée vers l'Angleterre. Hommage à la mémoire du corsaire hollandais anobli par Louis XIV le 19 avril 1694 pour avoir sauvé la France en mettant fin à lui seul au blocus alimentaire de la ligue d'Augsbourg, la *Cantate à Jean Bart* est chantée le soir du carnaval de Dunkerque par la foule des carnavaliers qui, à genoux devant la statue, en entonnent le premier couplet et le refrain, les bras tendus vers le ciel :

Jean Bart, salut, salut à ta mémoire
De tes exploits, tu remplis l'univers ;

Ton seul aspect commandait la victoire,
Et sans rival tu régnas sur les mers.

Jean Bart, Jean Bart, la voix de la patrie
Redit ta gloire et ton nom immortel
Et la cité qui te donna la vie
Érigera ta statue en autel

Revenant de ma marche sur la rue des Poilus, j'ai oublié le reste de la *Cantate à Jean Bart*.

*

C'est en essayant de faire comprendre à un anglophone que « Je ne singe pas » et « Je ne suis pas un singe » ne signifient pas du tout la même chose que j'ai oublié, syndrome de Babel oblige, la signification du verbe anglais « *To singe* ».

*

Vous avez oublié de dire quelque chose en entrevue et vous vous en voulez à mort d'avoir été aussi stupide ? De retour chez vous, écrivez une courte lettre de remerciement à votre intervieweur. Remerciez-le d'abord de vous avoir retenu comme candidat parmi les nombreux postulants, puis mentionnez ce que vous avez d'important à ajouter en écrivant quelque chose comme : « Après notre discussion, j'ai réalisé que j'avais oublié de vous parler de... » Cette démonstration écrite de votre habileté à vous incliner devant vos supérieurs vous ouvrira des portes et vous permettra de gravir les échelons rapidement parmi les bons petits soldats de votre espèce, ces mêmes bourreaux de travail exécutant les ordres sans poser de questions qui ont permis le massacre de Mỹ Lai où, le 16 mars 1968, pendant la guerre du Viêt Nam, des soldats américains ont brûlé tout un village, pollué les sources d'eau potable, tué les animaux, assassiné entre 347 et 504 civils sans armes, fusillant femmes et enfants comme des canettes vides à la mitraillette automatique M16, éliminant des groupes de vieillards à la grenade. Tas de morts et de mourants, village en cendres, les invalides criblés de coups regardaient mourir leurs femmes égorgées avec leurs enfants accrochés comme des carcasses de vautours vides à leurs poitrines sanglantes ; des filles étaient sodomisées à répétition par quelques fantassins avant d'être éventrées et de rendre leurs derniers soupirs, tandis que d'autres imploraient, à demi brûlées, qu'on les achevât. Des cartouches vides et des excréments se mêlaient par terre avec le sang, l'urine et les têtes coupées. Rédigez maintenant votre lettre sans réfléchir et tâchez plutôt de bien visualiser votre future carrière ; vous corrigerez vos fautes plus tard.

*

J'ai oublié de raconter l'histoire du théologien qui découvre une nouvelle façon de lire le fameux *1984* de George Orwell. Peut-être dans un prochain livre.

*

J'ai oublié la réponse à la devinette : « Cinq voyelles et une consonne en français font mon nom, et je porte sur ma personne de quoi l'écrire sans crayon. »

*

J'ai oublié le détail de la réponse partielle fournie par le physicien David Schmidt de l'Université du Massachusetts à l'éternelle question : « Pourquoi le rideau de la douche se gonfle-t-il toujours vers l'intérieur ? »

*

J'ai oublié de remercier les psychologues Daniel Simons et Christopher Chablis d'avoir démontré que, lorsque les gens concentrent leur attention sur quelque chose, il est très facile pour eux d'oublier tout le reste, que le sixième paquet arrive parfois à avaler, ravalement – paquet par paquet – qui comprend jusqu'à l'objet même de l'effort.

*

Sept ampoules électriques, un fusil à affûter, deux ampoules de flash, une boîte à tabac, une bouteille d'huile avec un bouchon en patate, onze fruits et légumes différents, une scie de bijoutier, une queue de cochon congelée, une coupe en fer blanc, un verre à bière, des lunettes, une clé de valise, une poche à tabac et un magazine. J'ai oublié le reste des corps étrangers rectaux recensés par ma demi-sœur infirmière depuis qu'elle travaille en gériatrie.

*

Lorsque le système bancaire capitaliste s'est effondré en 2008, on raconte à Washington que le président W. est monté sur la scène d'un bar de karaoké de la capitale pour prendre le micro et présenter ses excuses à la foule entre deux gorgées de bière : « J'ai oublié de rappeler au directeur de la Réserve fédérale que le carré d'un imaginaire pur est un réel négatif. Je suis vraiment navré. »

*

J'ai oublié le tarif exigé par le sinologue Schwann Ranvier pour traduire en mandarin la phrase : « Le potentiel d'action, autrefois (et parfois encore) appelé *influx nerveux*, correspond à une dépolarisation transitoire, locale, brève et stéréotypée de la membrane plasmique des neurones, selon une loi du tout ou rien. »

*

J'ai oublié s'il fallait mélanger deux parties égales de gazoline et de mousse de polystyrène ou deux parties égales de gazoline et de concentré de jus d'orange congelé pour faire du napalm maison.

*

J'ai oublié à qui Bill Gates s'adressait le jour où il prononça son célèbre : « L'informatique n'est pas une science exacte, on n'est jamais à l'abri d'un succès. »

*

J'ai oublié ce que les Allemands avaient fait aux Anglais pour que ces derniers poussent l'ironie jusqu'à bombarder la ville de Dresde un 14 février.

*

J'ai oublié quel article de la convention de Genève interdit de torturer les scientifiques ennemis en les persuadant par la force que les tartines ne tombent pas toujours sur le côté beurré parce que celui-ci est plus lourd et que la hauteur de la chute ne permet généralement qu'un demi-tour (car il est plutôt rare que l'on échappe une tartine du 88e étage), mais parce que la prédétermination au mal pousse les gens de leur pays à beurrer leurs tartines du mauvais côté.

*

J'ai oublié si c'est dans la première ou la dernière saison de *Six Feet Under* que les producteurs de la série ont eu l'idée absolument géniale (peut-être était-ce déjà prévu par le scénario de Kate Robin ?) d'évoquer le potentiel d'irréversible danger de la relation entre la rousse Claire Fisher (interprétée par Lauren Ambrose) et le mauvais garçon Gabriel Dimas (interprété par Eric Balfour) en insérant sans même le souligner une scène où l'on voit comme par hasard la jeune Claire regarder le film *Badlands* de Terrence Malick, classique en son genre dans lequel la rousse Sissy Spacek et le mauvais garçon Martin Sheen interprètent un jeune couple de tueurs en cavale (Holly et Kit), histoire à son tour inspirée de la véritable série meurtrière (onze victimes) de Caril Ann Fugate (quatorze ans) et Charles Raymond Starkweather (dix-huit ans), mauvais émule de James Dean mort sur la chaise électrique pour avoir tenté de guérir son complexe d'infériorité en nivelant le regard des autres par la mort (« *Dead folks are all on the same level* ») le 25 juin 1959.

*

J'ai oublié. Je me suis dit : « Ça va me revenir. »
Bilan : rien.

LES COCOTIERS SONT ARRIVÉS

Quand les cocotiers sont arrivés, j'ai compris que quelque chose de grave se préparait. Cette année-là, nous n'avons pas fêté le temps des fenêtres. Il faisait si chaud que nous sommes partis en montagne sans nos manteaux d'hiver. Tous ceux qui sont partis avec moi sont morts au bout d'un an qui dura une semaine tant la terre et nos têtes tournaient vite. Ceux qui étaient restés derrière nous sont morts encore plus vifs, tellement morts vivants qu'ils en avaient gardé l'expression dans le visage à mon retour : une expression de dégoût pour les cocotiers, d'une netteté à couper au couteau. J'étais donc seul. Longtemps, je l'avais souhaité, mais, maintenant que le mal était fait, je désespérais de n'avoir plus personne avec qui partager ma vie et, sans pouvoir dire pourquoi, j'enterrai un bout de papier sous l'un des cocotiers. Au recto, il y avait plusieurs points d'interrogation, comme sur le costume du Sphinx dans les vieux épisodes de *Batman*. Au verso, j'avais écrit : « J'en tairai un bout. »

DESCENDONS
DANS LE MONDE AVEUGLE

I

Je me suis réveillé si lentement ce matin que j'ai dû abdiquer et remettre toute ma journée à demain. Il faut dire que j'étais si fatigué avant de me coucher hier que je n'arrivais même plus à dire avec certitude si c'était moi qui tirais la fumée de ma cigarette ou si c'était elle qui me tirait l'air des poumons. Mon angoisse était grande et j'ai sorti tous les timbres de nicotine de la boîte que m'avait offerte mon ex avant de me plaquer pour un gars plus âgé (plus riche). Je pensais bien faire, mais je regrette à cette heure de les avoir tous collés sur ma peau, puisqu'ils s'y sont enfoncés sitôt collés et qu'au lieu de m'assurer une bonne dose de nicotine pendant cette longue nuit, ce sont eux qui se sont nourris de mon angoisse et de mes lents cauchemars alors que je mettais un temps fou à m'endormir, pas moins considérable que celui mis à me réveiller ce matin. Les timbres sont devenus gros si rapidement sous mon épiderme que je crains qu'ils ne m'avalent en entier d'ici la fin de la semaine.

II

J'ai eu raison de craindre la progression des timbres, mais j'ai dû manquer d'imagination pour craindre le pire, car ce qui m'est arrivé depuis est bien pire que ce que j'appréhendais. Je sens en ce moment même la multiplication de leurs morsures et je sais que les timbres auront bientôt fini de faire bonne chère dans ma peau. Ce chagrin sera au pire l'histoire d'une année, mais j'en subis déjà les effets néfastes. J'ai bu tout à l'heure le fond d'une bouteille de whisky que m'avait offerte le patron pour lequel m'a quitté mon ex et mon foie ne l'a pas toléré. Je suis resté plié en deux pendant ce qui m'a paru durer une bonne heure tant le labeur des timbres qui s'étaient attaqués à mon foie me faisait mal. J'ai voulu mesurer le temps de mon calvaire en regardant l'heure sur le micro-ondes, mais ces sales autocollants avaient eu le temps de me sucer la mémoire et ils s'en prenaient maintenant à mes yeux. L'heure qu'affichait le micro-ondes était en tout cas parfaitement illisible.

III

J'ignore combien de jours séparent cette entrée de la dernière dans ce journal que je n'arrive plus à sentir entre ce qu'il me reste de doigts, ces breloques filiformes qui pendent au bout des canalisations creusées par les timbres ouvriers dans mes mains engourdies. Une chose est sûre, si je ne suis pas encore mort tout à fait, c'est que les timbres ont d'autres plans en réserve pour moi, comme de s'attaquer à mes dernières pensées (maigres, en un lamentable état, mais néanmoins fort nombreuses), ce qui les occuperait pendant un certain temps encore. Combien encore? Je ne saurais dire et ne sais plus quoi penser de leurs intentions. J'ai à présent l'impression qu'ils m'ont déjà tout rongé, des ongles d'orteils aux poils du nez, alors je conçois qu'ils n'ont pas l'intention de me quitter. Du reste, ça me fait chaud au cœur de savoir que je quitterai le monde en ayant eu au moins une fois dans ma vie raison d'avoir ce sentiment certain qu'on ne me quitterait jamais, moi.

IV

Je me suis réveillé à l'hôpital ce matin. Il paraît que les chirurgiens spécialistes se sont relayés pendant près de quatorze heures pour retirer tous les timbres de mon corps. J'ai demandé à les voir, mais ma langue était tellement trouée que les sons passaient à travers comme du vent dans une passoire sur la tête d'un don Quichotte malgré lui. De toute façon, la périlleuse opération (délicate mon cul, oui) les avait tués. On avait déjà jeté leurs dépouilles presque aussi mutilées que ce qu'ils avaient laissé de mon enveloppe corporelle dans l'incinérateur de service. J'ai voulu les y rejoindre en voyant que mon ex était venue à mon chevet avec mon ancien patron pour s'excuser de m'avoir offert ces dispensateurs de nicotine suceurs de sang, puis la police l'a ramenée pour interrogatoire, et j'ai décidé d'en finir avec la nicotine dès que je serai assez fort pour quitter mon lit et mâcher de la gomme à nouveau.

V

J'ai relu ce que j'avais écrit avant que mon médecin ne me plonge dans un coma artificiel (six mois partis en fumée) afin de faciliter la régénération de mes tissus adipeux, et je me rends compte que je ne pourrai pas décrire le résultat si mon plan fonctionne, car la gomme aura achevé le sale boulot des timbres. Je peux néanmoins, c'est ma seule issue, dessiner une esquisse de ce à quoi je m'attends, quitte à ce que mon éventuelle incapacité à revenir sur ce que j'aurai mis sur papier confirme ma fin.

VI

Toujours là. Ma douleur, ma compagne, ma vie aussi. Je ne mastique peut-être plus assez bien sans gencives pour maintenir mes dents en place.

VII

Je me suis ouvert l'œil sur une carte de souhaits posée sur la table à mon chevet. Un légionnaire romain s'y faisait la réflexion : « À vaincre sans péril, on s'évite des ennuis. » Je n'ai pas trouvé la force de l'ouvrir.

VIII

Ma chambre est aujourd'hui une pièce grise de poussière et de tristesse, une pièce vide et sale aux murs ternis. Par la porte entrouverte sur une toilette délabrée, on découvre un lavabo maculé de tartre et de rouille, sur le rebord ébréché duquel une bouteille entamée d'Orange Crush verdit depuis deux ans. Je tenais pourtant mon bureau dans un ordre impeccable ; pas de retailles de crayon, pas de morceaux de gomme à effacer, pas de taches d'encre, ni sur les feuilles, ni sur les doigts.

IX

Qu'on se le tienne pour dit, mon histoire n'aura pas été celle d'un retour à la vie, de la rédemption d'un homme affrontant l'incalculable distance et la brutale matérialité du monde extérieur. Je n'aurai de comptes à régler avec personne, ni d'ennemis connus, ni besoin d'une couronne de fleurs pour enjoliver mon enterrement. Je n'aurai enfin pas eu tort de nier sur mon lit de camp, non pas l'existence, mais la divinité du Christ.

Dieu que j'ai peur de finir comme tout le monde, qui en queue de poisson, qui en palimpseste de chair, plaie vive que l'on gratte pour éprouver et souffrir de nouveau. Oh, tout ce que je donnerais pour souffrir éternellement au lieu de disparaître sans que le monde disparaisse aussi.

CECI N'EST PAS UNE PIPE

Qui d'entre nous n'a pas été marqué à vie par ce prof de philo qui a donné pendant toute une session un cours sur l'absence de distinction morale entre la vérité et l'apparence de vérité (en anglais, *between life and lifelike*). Ce qui nous avait frappés, mes camarades et moi, c'est que son cours était tout entier construit sur une scène du road-movie contemplatif *The Brown Bunny** où l'on peut voir l'actrice américaine Chloë Sevigny prodiguer dans le rôle de Daisy une fellation non simulée à l'acteur, scénariste et réalisateur du film Vincent Gallo, incarnant pour l'occasion un pilote de moto nommé Bud Clay**.

---

* Je copie ici *in extenso* le savoureux synopsis du télé-horaire : « Le parcours d'un solitaire en camion à travers les États-Unis. »

** Mon travail de fin de session portait sur la relation symbolique entre les noms de fleurs attribués aux quatre principaux personnages féminins (*Lilly* [« lys »], *Violet* [« violette »], *Rose* [« rose »], *Daisy* [« marguerite »]) et ce Bud Clay signifiant à la fois le bourgeon (« *bud* »), c'est-à-dire la promesse de vie nouvelle, et l'argile (« *clay* ») dont on tire la poterie chargée de contenir les fleurs. C'est d'ailleurs ce « hors-sujet » collé à ma copie par le professeur

Crédité comme un cours de cinéma, le séminaire se déroulait comme un long débat à savoir si la fellation était réelle ou feinte*, d'une part, et si le fait de considérer l'objet de controverse d'un côté ou de l'autre du miroir avait une incidence sur la réception du caractère explicitement sexuel de la scène.

Le nom du prof de côté, on se souvient tous de la fille de médecin un peu hautaine dont l'exposé oral avait consisté à la fin du cours en une reconstitution live de la scène à l'aide d'une prothèse qui reproduisait à merveille le pénis gorgé de sang de l'acteur. Planqué dans le pantalon marron d'un volontaire, ledit engin n'était pas sitôt sorti de sa cachette que l'étudiante poursuivait son argumentaire devant la classe en entourant le sexe feint de sa bouche bien réelle.

« Le problème, fit-elle après avoir fait semblant d'avaler le sperme idéel du volontaire, n'est pas de savoir si la fellation du film est simulée ou réelle, mais de

invité qui m'aura empêché, tache au dossier oblige, de m'engouffrer dans de plus longues et vaines études.

* La rumeur a commencé à circuler dès la première projection du film (dans une version préliminaire à l'état brut) au Festival de Cannes, le 21 mai 2003. Ainsi, à en croire la réalisatrice française Claire Denis, l'organe reproducteur mâle que l'on aperçoit dans la fameuse scène de fellation « non simulée » serait en réalité une prothèse volée sur le plateau de *Trouble Every Day*, drame fantasmagorique dans lequel Vincent Gallo interprétait sous la direction de Denis un certain docteur Shane Brown (je souligne le « Brown »*) entraîné dans d'étranges recherches sur la libido et les extrêmes pathologiques.

* Gallo tenait aussi le rôle de Billy Brown dans *Buffalo '66*, son premier film en tant qu'auteur et réalisateur.

questionner ce qui, au-delà de sa phénoménologie, pro-
voque l'excitation. »

La fille de médecin, c'était à prévoir, a eu A+ ; et tous
les garçons de la classe, une érection.

UNE HISTOIRE DE CHIFFRES

Un homme rationnel, qui reprochait à sa flamme d'être indécise, formula la chose en ces termes familiers : « Pourquoi tu te poses toujours cinquante-six questions ? Il me semble que cinquante-cinq, ce serait suffisant, non ? » Puis il plaqua sa flamme pour la campagne – *a very paradise of painters,* comme dirait monsieur Melville – et passa tout un après-midi à peindre.

Puis je voudrais en taureau blanchissant
Me transformer pour finement la prendre,
Quand en avril par l'herbe la plus tendre
Elle va, fleur, mille fleurs ravissant.

PIERRE DE RONSARD

FLORILÈGE

Il était une fois une fleur qui détruisit un immense château qui lui faisait ombrage. Elle ne poussa ni mieux
ni plus, mais les ruines qui s'étendirent à ses pieds lui
donnèrent un je-ne-sais-quoi de majestueux qui rendit
toutes les autres fleurs du royaume infiniment jalouses,
jusqu'à ce qu'elles trouvent le moyen de la transformer
en femme. La fleur devint alors une femme si belle
qu'elle ne put jamais approcher un seul homme sans que
le cœur de ce dernier ne se brise aussitôt. Désespérée,
la beauté tragique revint sur les lieux de son déracine-
ment pour implorer les autres fleurs de lui redonner sa
forme de fleur, ce que celles-ci acceptèrent à condition
que la belle reconstruise le château qui lui faisait jadis
ombrage. La femme accepta, mais elle travailla si longtemps à remettre le château debout que le jour où elle
y arriva, elle était rendue si vieille et son corps si usé et
déformé par le travail qu'elle n'osa pas imaginer de quoi
la fleur qu'elle redeviendrait aurait l'air et décida plutôt
de cueillir toutes les fleurs du royaume afin de s'offrir

le plus beau des bouquets funéraires. Quand toutes les fleurs furent cueillies, la vieille s'enferma dans son château et se pendit au centre d'une grande salle circulaire remplie de fleurs à craquer et, de fait, lorsque la vieille eut fait basculer son tabouret et se brisa le cou au bout de sa corde, le plafond de la pièce craqua et, une fois encore, le château s'écroula. Une seule fleur repoussa au milieu des ruines. Une fleur grise, au cœur noir, avec des épines si piquantes que personne n'osa jamais la cueillir. Cette fleur solitaire souffrit sans le savoir de ne pas avoir autour d'elle d'autres fleurs à rendre jalouses et, ne sachant pas ce que c'était d'être une femme et d'avoir le luxe et le loisir de pouvoir s'ouvrir les veines aux poignets et à l'intérieur des cuisses dans une grande baignoire remplie d'eau chaude en rêvant que son corps agonisant serait dévoré par une meute de chiens, elle, fleur, se fana.

PORTRAIT D'UNE JOUEUSE DE TOURS

La vie est comme ce casse-tête de deux mille morceaux que l'on hésite à faire parce qu'il manque un morceau dans la boîte. La question est de savoir si on laisse l'absence de finalité nous décourager ou si on espère au contraire trouver son compte dans le processus en comblant le vide par le plaisir du jeu désintéressé.

D'un côté, la vie n'a pas de sens ; de l'autre, les enfants n'ont pas besoin de but pour jouer au ballon.

FEU L'EMPLOYÉ

Il faisait froid. Rien d'extraordinaire, mais beaucoup trop froid pour une première semaine de mai.

L'air de la chambre était humide. Il avait plu. La veille, peut-être.

Il avait eu froid, très froid, trop froid, tant terriblement froid et si froid qu'il avait enfilé une seconde paire de bas de laine par-dessus la première sans que ses pieds cessent de subir le froid mordant du carrelage en damier.

Il dormait, mangeait et travaillait dans une même pièce depuis un an. Il n'étouffait pas : il gelait.

Quand son patron était parti le vendredi soir, l'employé avait l'air tout à fait normal. Le lundi matin venu, il était dans un coma dont il ne sortirait plus.

L'employé s'était enfoncé un stylo à bille dans l'œil – non pas vulgairement planté dans l'orbite, mais méthodiquement inséré dans le globe oculaire, en commençant par l'extrême pointe du stylo, lentement plongée dans l'humeur aqueuse et la cornée protectrice, perçant ensuite l'iris et le cristallin jusqu'à l'assaut final contre le nerf optique.

« J'ai froid », avait-il écrit avec ce même stylo sur le papier à lettres qui reposait au centre de la surface de son bureau. Venait ensuite une phrase raturée, « ~~Marcher devient morsure~~ », et enfin : « Je ne comprends rien. »

TOUCHÉ PAR LA GRÂCE

Quand la hache lui a tranché la main, elle ne dormait pas.

Elle ne dormait pas quand on lui a retiré un rein pour le remplacer par un foie de veau.

Elle ne dormait pas quand ses vêtements ont spontanément pris feu dans le rêve de sa meilleure amie, qui ne dormait pas non plus.

Elle ne dormait pas quand la machette de son voisin rwandais s'est enfoncée dans son crâne jusqu'à l'œil pendant qu'elle regardait sa mère se faire violer devant elle, pas plus qu'elle ne dormait le jour où son charpentier de mari alcoolique lui a cloué le sein gauche au coffre en cèdre de leur cave à vins.

Quand elle ne s'est pas réveillée, elle ne dormait pas, mais cela la soulageait de savoir que ses membres ne la feraient plus souffrir une fois détachés de son corps sur le point d'être touché par la grâce d'une désintégration spontanée.

*Le Nord demeure pour moi un lieu
pratique de rêve, de conte et, en fin
de compte, d'évitement.*

GLENN GOULD

L'ABSTRACTION DU NORD

J'ai toujours pensé que je pourrais partir si je le voulais. L'automobile m'emportait de l'ouest au nord sur près de deux mille kilomètres. À droite, des pianos Steinway à perte de vue ; à gauche, des Bösendorfer à demi défaits de leur manteau de neige.

La réception de l'autoradio n'était pas terrible. La CBC diffusait un documentaire sur Glenn Gould et on entendait celui-ci décrire Yonge Street (en Ontario) pendant de longues minutes, étrange objet de fascination qui faisait presque oublier que celui qui avait rendu célèbres les *Variations Goldberg* était mort en 1982.

Alors que je commençais à m'endormir, la voix de Gould développait une intéressante variation sur le thème de la route à l'échelle du territoire canadien qui marqua la pensée musicale du virtuose : « Pour l'essentiel du trajet, Yonge Street traverse un paysage absolument obsédant par sa resplendissante beauté faite de vide, d'austérité et de désolation. »

Quand je suis arrivé au chalet, au petit matin du 23 novembre 1963, j'ai allumé la télé et Sid Davis de la WBC couvrait en direct l'arrivée du cercueil de John F. Kennedy à la Maison-Blanche. Comme Robert Frost était l'un des poètes préférés du Président, Davis termina son reportage en citant un passage du poème « Stopping by Woods on a Snowy Evening » (« Arrêt dans les bois un soir de neige ») et craqua sous l'émotion en prononçant ces derniers vers, dont JFK se servait lui-même pour conclure ses discours pendant la campagne présidentielle :

The woods are lovely, dark and deep,
But I have promises to keep
And miles to go before I sleep
And miles to go before I sleep.

Les bois sont jolis, sombres et profonds,
Mais j'ai des promesses à tenir
Et des miles à faire avant de dormir
Et des miles à faire avant de dormir.

Décédé le 29 janvier de cette même année 1963, Frost avait lui-même récité quelques vers lors de l'inauguration du président Kennedy, et les mots « Ne demandez pas ce que votre pays peut faire pour vous, demandez-vous ce que vous pouvez faire pour votre pays » avaient rendu ce 20 janvier 1961 mémorable.

Il se trouva incapable de lire le poème (« Dedication ») qu'il venait de composer spécialement pour la cérémonie, à cause de la mauvaise qualité de la machine à écrire utilisée pour le taper, du vent, des reflets du soleil sur la neige fraîchement tombée et bien entendu à cause de la vue affaiblie du poète de quatre-vingt-sept ans, mais rien de cela ne l'empêcha de réciter de mémoire le poème « The Gift Outright » (« Le don total ») à la demande du jeune Président.

Deux ans plus tard, les deux hommes étaient morts. Ce qui était visé par les commanditaires de l'attentat contre Kennedy, au-delà de la tête du président des États-Unis, c'était le maintien d'un équilibre instable entre des forces potentiellement contradictoires. Par exemple, si la neige et l'idée du Nord constituent un apaisant refuge, le Texas et la chaise électrique doivent eux aussi exister quelque part, afin qu'on en fasse mieux abstraction.

HABITANTS DE LA MÉGAPOLE

L'anthropologue néerlandais Frederik Van der Waals a publié l'automne dernier un très beau livre sur la détresse des hommes et des femmes qui coexistent aujourd'hui dans de très grandes villes où plus personne ne croise personne. *Habitants de la mégapole : une histoire de la sexualité à l'ère du numérique* décrit avec une précision vertigineuse les moyens déployés par ces désespérés du sexe pour se démarquer de la masse de leurs « semblables ». Van der Waals écrit « semblables » entre guillemets, non pour marquer une remise en question du terme « semblable », mais pour insister sur l'écart que les pervertis tentent de creuser pour se sortir de l'anonymat tout en demeurant nos semblables.

« Étudier les extrêmes, écrit le sociologue, c'est chercher à comprendre ce qu'est l'humain – ce que nous sommes tous. » Il se réfère en introduction à la célèbre réplique de Térence : « Je suis homme, et rien de ce qui est humain ne m'est étranger. » (*Héautontimoroumenos*,

I, 1, 25.) Le titre français de la pièce, *Le bourreau de soi-même*, éclairerait d'ailleurs assez bien la dualité bourreau-victime qui caractérise ces nouveaux agents de l'esprit de perversité. Ce n'est pas un hasard, explique Van der Waals, si Baudelaire en a fait le titre d'un des plus troublants poèmes des *Fleurs du Mal*, et l'Ennemi de l'homme du xixe siècle, l'Ennui, sévit encore aujourd'hui dans les grandes villes : « Or, diront les décadentistes et autres cultivateurs du mythe entourant Jack l'éventreur, rien de mieux que la perversité, principe primitif et inné de l'action humaine, pour combattre l'ennui. » Citant les meurtres du chacal londonien en exemple*, Van der Waals renvoie le lecteur à l'huile sur toile *The Camden Town Murder* (1908) du peintre postimpressioniste anglais Walter Sickert reproduite en pleine page couleur.

Pour peu qu'il ait l'estomac solide, le lecteur curieux consultera avec un dégoût quasi neutralisé par l'art de la distanciation cette étude sociologique sur l'apparition de déviances sexuelles violentes dans les concentrations urbaines de plus de deux millions d'habitants. Cela dit, ceux et celles qui font encore des cauchemars trente ans après avoir vu Marlon Brando se faire enfoncer dans une scène du *Dernier tango à Paris* les trois doigts de sa jeune partenaire dans l'anus s'abstiendront sans doute avec justesse de lire le chapitre que Van der Waals consacre à la

---

* En effet, selon Scotland Yard, le prénom de Jack the Ripper, chasseur de femmes meurtrier, serait le diminutif de *jackal* (chacal), animal carnassier apparenté au loup.

pratique du *fist fucking* et du *head fucking* (peu documenté et peu vraisemblable). Parmi les pratiques paraphiliques, citons à comparaître le *golden shower*, le *bukakke*, les adolescentes japonaises qui se vomissent mutuellement dans la bouche, la pédophilie, le *gang banging* (dont il existerait une variante 100 % incestueuse dans quelques clubs mormons clandestins de Salt Lake City), la nécrophilie, le *rim job*, la contraction d'herpès volontaire (« Vous seriez surpris, commente Van der Waals, des prix du marché pour certaines souches particulièrement virulentes »), le *cross-dressing*, le fétichisme, la zoophilie (de l'animal de compagnie jusqu'au cheval en passant par la chèvre et ce fameux singe d'Afrique à qui l'on devrait le sida), l'asphyxie autoérotique, la branlette du pendu, le sadomasochisme, le *stab-wound fucking* (pénétrer une plaie fraîchement ouverte au couteau), le *shit sniz* (déféquer dans le vagin avant la pénétration), et l'histoire incroyable du mâle homosexuel dominant qui n'avait pas besoin de toilettes dans son condo new-yorkais parce que son partenaire avalait tout avec grand plaisir.

« Examinons ces actions et d'autres analogues, conclut Van der Waals en citant Graham Arnold, nous trouverons qu'elles procèdent de l'esprit de perversité. Nous les perpétrons parce que nous sentons que *nous ne le devrions pas*. En deçà ou au-delà, il n'y a pas de principe intelligible. C'est un mobile sans motif, un motif non motivé, un mouvement radical, primitif, élémentaire. » (Graham Arnold, *Le démon de la perversité*, p. 79)

Sept cent quatre-vingt-huit pages d'horreurs qui mène-
ront le commun des lecteurs à se rabattre sur le bon vieux
terme d'« inhumain » pour se désolidariser des bourreaux
commodément relégués au statut de monstres, cependant qu'une analyse approfondie de la guerre et de la
sexualité à l'ère postindustrielle nous enseignerait peut-
être une fois pour toutes qu'il n'y a d'inhumain dans ces
pratiques que ce que nous refusons d'y voir en nous,
et qu'être humain se résume à deux choses : humilier
ou être humilié. L'inhumain n'est pas un sous-homme,
mais sa version exacerbée à l'extrême : un surhomme,
qui ne vole pas dans le ciel des villes mais croupit plutôt
dans les égouts sous le poids de son surplus de fragilité
humaine. Fragilité du bourreau, car, comme l'écrit Baudelaire : « Race de Caïn, ton supplice / Aura-t-il jamais une
fin ? », nous ne serons jamais que les héritiers symboli-
ques d'un homme pieux qui a tué son frère par jalousie,
en conséquence de quoi, ayant besoin d'assouvir mes
pulsions les plus irrationnelles, je le ferai au prix de mes
valeurs, et au détriment des miens et de mon estime de
moi. L'histoire du xxe siècle donne raison au père du sym-
bolisme, la brique de Frederik Van der Waals aussi.

MORCEAU DE THÉÂTRE SOLAIRE

Au lever :
LE CHŒUR : Qu'est-ce que l'art ?
L'ARTISAN : Un moyen d'élévation spirituelle.
LE CHŒUR : Et qu'est-ce que l'élévation spirituelle ?
LE PENSEUR : La seule raison d'être de l'homme.

Interlude simiesque :
LE SINGE ACADÉMICIEN : Cadet Rousselle est né 237 ans avant mon créateur. Or, c'est dans *Quatrevingt-treize,* paru en 1874, que Victor Hugo – pour se moquer de Robespierre, qui venait de monopoliser la parole pendant deux heures à la Convention – a mis dans la bouche d'un dénommé Danton les mots : « Cadet Rousselle fait des discours qui ne sont pas longs quand ils sont courts. »

Au coucher :
LE CHŒUR : Si elle ne fait pas partie du corps, pourquoi l'âme reste-t-elle avec lui ?
LE POU : Elle n'a nulle part où aller.

OSTINATO

Argumenter, même quand on a tort. Pour laisser croire qu'on n'est pas assez brillant pour donner des arguments valables (ou pour bien choisir ses batailles) tout en s'assurant de s'être exercé secrètement au préalable et bien au-delà du nécessaire lorsque l'occasion se présentera de défendre un point de vue tout ce qu'il y a de plus légitime. C'est ce qui attire les avocats vers les causes perdues d'avance ou indéfendables, et les poètes rhétoriciens dans la défense et l'illustration du vulgaire, du laid, de l'inutile, du ridicule, du dangereux ou du vicieux. Exemple célèbre et célébré de chose vulgaire et inutile : la langue française. La langue anglaise a d'ailleurs un mot, *adoxography*, pour désigner cet exercice visant à produire un écrit raffiné sur un sujet trivial (« *fine writing on a trivial or base subject* »). Aussi les adoxographes emploient-ils pour se défendre les seules armes qu'ils s'autorisent, patience, persévérance, ruse et rire obstiné.

ATCHOUM BÉBÉ

Un homme hésitant entre deux femmes sera un jour aidé dans sa décision par un événement imprévu et cocasse : celle qu'il croyait en avance dans la course (prospect numéro un) attrapera un rhume.

Déçu de ne pouvoir poursuivre ses avances pendant une ou deux semaines, l'homme se découvrira une nouvelle ardeur pour celle qu'il aura jusque-là négligée (prospect numéro deux).

Surprise ! Cette dernière semblera soudain plus belle et plus intelligente que la première et, les pôles d'attraction ainsi inversés, l'homme se retroussera les manches et tentera de rattraper le temps perdu.

Cette nouvelle vision des choses le refroidira néanmoins quelque peu. S'il aura suffi de quelques microbes pour mettre un terme à sa première histoire, qu'en sera-t-il de la seconde ?

Perplexité. Dilemme.

Il en va ainsi de toutes les relations humaines – sauf pour les sexuelles, qui vont de soi.

Il n'y a pas une idée qui vaille qu'on
tue un homme.

MONTAIGNE

CONTRÔLE DE L'INFORMATION
ET TREMBLEMENT DU SENS

«Séparez-vous! [...] Les gars à droite, les filles à gauche.»
C'est ce que l'humain aux mains qui tremblent a dit aux
humains aux mains qui tremblent, car l'humain était ce
jour-là le produit d'une addition gargantuesque.

Même si au départ on avait voulu nous faire voir les
choses autrement, en commençant par l'humain qui se
rase la barbe, puis en enchaînant avec l'humain qui se
rase les jambes, nous n'avons rien vu d'autre que deux
humains peu sûrs d'eux-mêmes.

«L'idée, c'était de ne pas faire un film sur le point
de vue féminin ou masculin, mais de mettre les deux à
l'écran.» Nous avons pourtant suivi (presque poussé)
le survivant jusqu'au suicide avant de reprendre le fil
brisé de la narration depuis le regard de la survivante
au point précis de leur séparation.

«Les gars à gauche, les filles à droite.» N'est-ce pas
aussi de cette manière tranchée que l'on distingue les
cerveaux féminins et masculins? Le noir et blanc nous

invitait pourtant à faire abstraction de toutes ces choses que la culture nous a inculquées, comme le « On ne naît pas femme : on le devient » que Simone de Beauvoir, existentialiste du deuxième sexe, a plaqué sur le « On ne naît pas homme : on le devient » d'Érasme, humaniste de la Renaissance, formules équivalentes dont l'opposition superficielle se dissout dans l'aphorisme « L'existence précède l'essence » tiré de *L'existentialisme est un humanisme* de Jean-Paul Sartre.

Il y a néanmoins des traits propres à l'homme et d'autres attributs propres à la femme. Nier cela, c'est se condamner aux rencontres qui tournent mal.

Dans le film, c'est l'univers froid des ingénieurs qui est en cause : « Quand on travaille en noir et blanc, tout devient géométrique, tout devient mathématique. » Or, nous dit-on, un ingénieur, ça n'a pas d'enfants.

Silence tendu, instant à jamais figé dans l'attente et la peur du vide, du trou de l'arme pointée vers soi, de l'inévitable pression de la détente suivie de l'insupportable bruit de la détonation précédant la mort, fusil d'assaut qui fait peur aussi bien sur les plages de Normandie que sur les bancs d'école, violence parachutée dans le quotidien scolaire, technique, en rang, prêt pour l'exécution sommaire, la mort, le silence, le vide, complet, livide, amniotique prêt à tout avaler, à tout régurgiter.

Les histoires nous font croire qu'il s'est passé quelque chose, alors qu'en réalité, on n'a fait que fuir une situation pour une autre.

Media vita in morte sumus.

Succession d'images, triomphe du vide béant qui avale tout, qui fait tout disparaître, violence radicale, degré zéro, déflagration.

Dans la mort nous sommes au milieu de la vie.

L'horreur n'est pas dans l'événement lui-même, mais dans le témoignage, impuissant, furieux, envers exact de la beauté, envers exact de la paix extérieure.

Trajectoires de balles tracées, quadrillages, topologie, parcours, cheminements même pas irrémédiables, lignes de fuite, troupeaux d'éléphants blancs en marche, en silence, cran d'arrêt levé, soleil interdit, déambulation morbide, sans but précis, horizon bouché, la rage au cœur, l'eau qui bout sous le couvercle en attendant que ça saute.

— Et que ça saute.

La main qui tue emporte dans la tombe l'odieux de son angoisse raisonnée. La perte de l'homme est dans les explications.

Les mots servent à exprimer les idées ;
quand l'idée est saisie, oubliez les mots.
TCHOUANG-TSEU

ENCORE DES MOTS

ABSURDITÉ : Lu sur le site d'un bed and breakfast mont-réalais : « Petite cuisine avec frigo et poêle (interdit de cuisiner). » Pourquoi pas « Chambre avec lit king size (interdit de dormir ou de faire l'amour) » ?

AMÉLIAZEKS : Peuplades d'Amazonie dont les femmes sont reconnues pour s'allonger par terre pendant les pluies pour ne pas tomber malade.

BILOU : État de vague à l'âme entre la bile et les bleus (de l'anglais *blue* ou, plus musicalement encore, *blues*), sorte de mélancolie qui s'ignore – variante allégée du spleen baudelairien : « Mon âme ne se connaissait plus d'envie. » *Elle filait / se sentait bilou.*

CARTE BLANCHE : Morceau de papier, généralement rec-tangulaire, qu'aventuriers et explorateurs apportaient avec eux lorsqu'ils partaient à la découverte du Nouveau Monde, territoire jusqu'alors inconnu de l'homme blanc.

CHARME CUBAIN : Cachet gaucho anti-conservateur ironiquement réservé aux petites îles antillaises qui mettent leurs homosexuels et leurs opposants politiques en prison.

DÉBOTTOIR : Partie du vestibule recouverte d'un simple tapis sur lequel enlever ses bottes les jours de neige.

DÉCADENCE : Stade final d'une civilisation arrivée au bout d'elle-même. La fin d'une civilisation, sa finalité, son but, est de devenir décadente. Les sociétés dites « avancées » ont beau se vanter d'être plus civilisées que les autres, il y a encore loin de la coupe aux lèvres.

ÉLITISME : Attitude qui, selon les individus, pousse à dénigrer ses semblables sous prétexte qu'ils n'ont pas lu tel ou tel livre, vu tel ou tel film, ou inversement (c'est là, comme pour tout ce qui participe d'une certaine symétrie, la beauté de la chose) à les dénigrer parce qu'ils ont lu tel ou tel livre ou vu tel ou tel film, certains allant jusqu'à se mépriser entre eux parce que les uns se glorifient d'écouter telle ou telle musique, de lire tels ou tels livres, de voir tels ou tels films, tandis que les autres se font la fierté inverse de ne jamais aller au théâtre ou au cinéma, de n'écouter aucune musique et de ne jamais ouvrir le moindre objet pouvant ressembler de près ou de loin à un livre.

FICTION : Dans mes livres, tout est fiction – même ce qui est vrai.

INFÂMILIER : Équivalent français de l'*Unheimlich*, terme allemand que l'on traduit habituellement par «inquiétante étrangeté», alors qu'une traduction littérale donnerait «non-chez-soi-comme», c'est-à-dire pas chez soi, mais tout comme.

KIBITZER : Terme yiddish désignant celui qui assiste à une partie d'échecs, de go, ou de tout autre jeu, sans participer, offrant son avis ou ses commentaires, la plupart du temps sans qu'on lui ait rien demandé.

LITTÉRAIRE : Individu qui fait la différence entre détenir la vérité et avoir raison. Comme cette distinction rhétorique n'intéresse personne, il invente à la place des histoires fausses et dénuées de raison, comme celles d'un Rabelais, d'un Sterne, d'un Ninipotch ou d'un Rowan Oak.

NIAISER : Québécisme familier selon les dictionnaires français. 1. Perdre son temps à des riens. 2. Faire ou dire des niaiseries. Montaigne parlait donc québécois avant même la fondation de la ville de Québec, écrivant dès 1580 (*Essais*, II, 3) : «Si philosopher c'est douter, comme ils disent, à plus forte raison niaiser et fantastiquer, comme je fais, doit estre doubter.»

OPRITCHNINA : Mot russe signifiant « pouvoir impitoyable et sans limites ». Prénom idéal pour une fille.

PHILOSOPHE : Individu qui rêve de détenir la vérité (par opposition au RÉALISTE, qui rêve d'avoir raison au moins une fois dans sa vie). « *Les philosophes sont des violents qui, faute d'armée à leur disposition, se soumettent le monde en l'enfermant dans un système.* » (*Robert Musil*)

PSYCHANALYSE : Discours abscons sur le langage des rêves et l'inconscient. « *L'homme refuse de croire que quelque chose qui le concerne soit dénué de sens, alors il cherche une cause à son malheur. C'est pour cette raison qu'il a inventé la psychanalyse, non pour régler ses problèmes, mais les rationaliser.* » (*Hannah Spiegelschrift*)

PROCESSUS DE PAIX : Passe-temps pour gens riches, généralement marchands d'armes ou pétroliers, si ce n'est les deux à la fois. Il s'agit d'une variante du jeu de ping-pong dont l'objectif consiste à dire noir pour blanc et blanc pour noir (rondes préliminaires), puis la fin justifie les moyens (rondes des seize et suivantes). On lui doit, entre autres gains socioculturels, les expressions « Qui perd gagne » et « Changez de côté, vous vous êtes trompés ».

QUÉBÉCOIS : Langue imaginaire des nostalgiques du Bas-Canada. Suivant le raisonnement de ces rois borgnes, le marseillais serait aussi une langue, tout comme le belge du terroir et le victoriavillois de l'ouest. *On raconte qu'un critique demanda un jour à Virginia Woolf en quelle sorte d'anglais elle écrivait et que celle-ci répondit : «J'écris en Virginia Woolf.»*

RÉALISTE : Individu potentiellement monomaniaque qui s'attardera aux moindres détails si l'occasion se présente de maquiller le meurtre prémédité de sa femme en accident de moissonneuse-batteuse.

ZAMIDEFIDEL : Pour la plupart aujourd'hui disparus (ou en voie de l'être), les zamidefidels étaient des gens qui pouvaient pontifier contre le capitalisme américain au nom de la romance cubaine tout en exigeant le prix du marché pour héberger des étudiants dans leur propriétés privées.

Comme si leur rencontre n'avait pas été tirée
au sort par le néant pour assurer encore et
encore la pérennité du rien.

RÉGIS JAUFFRET

À LA TROMPETTE DOUCE

Nous les retrouverons à nouveau, puisqu'ils n'auront pas bougé, assis en tête-à-tête à cette même table, cette même terrasse méditerranéenne, devant ces mêmes assiettes à peine entamées, faute d'appétit véritable, devant ce même café allongé qui ne goûtera plus rien à force d'être allongé.

« Mademoiselle... L'addition. »

Non, ça ne se voit plus que dans les films. Arrivés ensemble. Table d'hôte. Tout inclus. Factures séparées.

Inséparables dans la distance, ils seront incapables de se quitter comme de se rapprocher, tandis que les yeux de l'homme ne cesseront de dire : « J'ai envie de toi », et que les yeux de la femme ne cesseront de dire : « Tu as envie de moi. »

Un « Je t'aime » se dessinera bientôt sur les lèvres de l'homme, qui ne sait pas, ne trouve pas la clé pour décrypter la froideur inhérente au stratégique « Tu m'aimes » que lui renverra cette femme qu'il retrouve et retrouvera chaque jour au même endroit, au même point, au même stade de cette perpétuelle impasse.

S'ils pensent qu'ils auront des enfants ensemble un jour, ils se trompent. Ils mettront peut-être au monde un notaire alcoolique, une vétérinaire inodore ou un analyste-programmeur sans amis, mais des enfants ? Non.

Quand on décide d'avoir des enfants, on s'imagine qu'on aura un joli petit poupon tout rose. Dans les faits, ce que l'on mettra au monde, c'est un octogénaire incontinent, aveugle béquillard chauve et cruel cloué au lit par la goutte. Voilà donc ce qu'il faudra *enfanter* sans même le savoir, au terme de ces fastidieuses répétitions, afin que d'innombrables tête-à-tête comme celui-ci se reproduisent à toute heure du jour et de la nuit dans tous les lieux de rencontre de tous les pays du monde, que cette douce tromperie se poursuive et que l'espèce s'y perpétue, pour le plus grand plaisir des historiens, des marchands d'armes et des collectionneurs de crânes.

LA RÊVEUSE ÉVASIVE

Une fille de la nuit, qui vivait dans une modeste maison de pierre, rêva toute sa vie de parcourir le vaste monde.

Elle traversait chaque nuit de grandes forêts remplies d'arbres sans feuilles ni écorce.

Elle traduisait des messages codés pour eux et les défendait contre mille et un personnages maléfiques, cependant qu'elle avait trois fois recours à une timbale d'argent dont l'ascendant sur les astres était sans limites.

Arrivée dans la contrée de 14 m² qui se situait derrière les arbres, elle sut enfin ce qu'elle avait à faire.

Elle se pinça et sortit de chez elle avec une petite statuette d'ivoire qui l'empêchait de perdre à roche-papier-ciseaux. Puis elle se retourna et se rendormit en se disant qu'il est bien pratique de voyager aussi loin sans jamais sortir de son lit.

Ses aventures étaient si réalistes qu'un jour elle est morte dans son sommeil. Elle est restée toute une année au lit sans que personne ne remarque sa mort violente, car elle n'était pas encore morte à l'état de veille. Quand ce fut fait, on retrouva à son chevet un roman d'espionnage dans lequel un prisonnier désespéré qui contrôlait ses rêves réussit à arranger sa mort dans son sommeil en même temps que dans un rêve. Loin de déplorer son incapacité à profiter de ce don pour réaliser d'autres rêves plus constructifs, la fille de la nuit préféra voir, dans la brèche que l'exploit sans précédent du prisonnier ouvrait entre le rêve et la réalité, une note d'espoir pour tous les désespérés qui n'attendent plus rien de la vie et qui, entre les lignes de cette noire mascarade, sauraient à sa suite trouver le motif rayé négatif que le prisonnier du réel n'a certainement pas laissé sur l'oreiller, la mort dans l'âme.

ENTRE LES GRIFFES DE LA MODE

Florence Couture, dix-neuf ans et pleine de vie, est montée dans le wagon et s'est assise sur un strapontin en replaçant sa robe de bal. Elle tenait, écrasé contre elle, un sac en peluche, tout blanc, semi-rigide, lapin mort.

LA DÉCOMPOSITION DE L'ANGE
Conte américano-japonais

Anticipant l'arrivée de l'aube à la lumière pâle des portes de papier, il se réveilla dans une pénombre glacée, à la frontière du songe et de la pensée objective, avec la douce-amère certitude d'être encore en vie, sentant comme une balle dans le crâne la morsure de ce rêve infâmilier :

La mer, raconta-t-il en plongeant un index dans sa blessure, un infini jamais rencontré. Les déchets de l'existence s'y déversent pour se heurter à la déflagration du roc en un amas immense de détritus soumis au lessivage des vents du large. Des bouteilles d'eau vides, des boîtes de conserve rongées par la rouille, des sacs en plastique, des os, des pièces d'automobile, des blocs de béton. Les déchets, pareils à l'homme, ne rencontrent leur fin sinon de la façon la plus sale et la plus laide qui soit.

Les fleurs se fanèrent, la mort se fit un chemin. Pourquoi réaliser une œuvre alors qu'il est si beau de la rêver seulement ? On dit que cette question du peintre Giotto continua de hanter les pensées de l'ange Soldat pendant sa décomposition, et même au-delà.

ÉPUISER L'INTIME

Suivant des traces en pâle imitation (de la neige comme
à la télé) au bout de ces pas qui se dessinent aux pieds
d'une femme à paraître, une jeune fille s'oublie pour
l'heure à travers les autres, en quête d'une identité, car
avoir dix-neuf ans, au départ, ce n'est pas on s'était imaginé, mais ça le devient, confie-t-elle sous l'éclairage d'un
lampadaire, assise au milieu des marches : « Au début, le
regard des hommes me pesait dessus comme un pianiste
sur une touche qui ne répond pas, et je pensais alors au
titre d'un film que j'avais vu au cinéma : *Comment deux
parfaits inconnus avec très peu de connaissances en histoire
de l'art peuvent-ils en arriver à dire presque en même temps
une phrase aussi excentrique et hors contexte que : "Ça me
fait penser à un peintre célèbre pour une formule d'abstraction chromatique établie vers 1950"?* C'était un mardi soir,
la chaise du surveillant était vide. »

Florence Couture, dix-neuf ans et pleine de doutes,
tient sur ses genoux un exemplaire écorné d'un livre

dont on peut lire le titre français, *Poussière,* traduction plus ou moins heureuse d'un roman inspiré de la vie des jeunes étudiantes anglaises, dans lequel l'héroïne tombera bientôt (l'emplacement du signet indiquant que la lectrice n'en a pas encore tout à fait lu le tiers) sur un vieil horloger retrouvé mort dans sa boutique au milieu de toutes ses horloges arrêtées. On retrouvera dans la poche intérieure de sa veste la seule montre qui fonctionne encore, ironie du sort, contre son cœur qui ne bat plus.

On peut s'imaginer bien des choses au milieu des marches, mais la femme à paraître, elle, tombe sur une chambre à l'envers, le miroir au mur lui renvoyant l'image inversée d'un sourire identique.

— Chaste apparition de céleste gratitude, murmure le poète, inconscient du ridicule dont on alourdira ces sons nus avant de le passer à tabac.

Arrivée dans la chambre dominée par une bibliothèque extraordinaire, la visiteuse comprend, déçue, que ce qui fait la fierté du propriétaire est moins lié au nombre de volumes qu'à l'épaisseur de poussière qui les recouvre.

— Chaste apparition de céleste gratitude, reprend le poète, comme si le fait de voir l'heure de sa mort fondre sur lui sous les traits d'une foule gorgée de haine et d'intolérance l'affranchissait d'une inquiétude plus lourde en lui permettant d'accepter son sort et d'embrasser la somme de sa vie d'un seul regard, feu roulant de violence cinématographique dont le générique de fin viendrait se poser comme un baume sur les égratignures et les plaies.

En lutte avec sa propre maladresse devant la vie, la jeune fille s'avance, légère, comme une teinte de vert. Silencieuse pas vraiment, elle se tait intelligente.

SANS ALLER JUSQU'AU BOUT

Du plus haut sommet j'ai voulu sauter. Terrifié, torturé, anéanti, la langue en pendentif, cependant que le chat marchait sous la chute et narguait sans se mouiller le cadavre de mes ambitions. De sa fourrure monte un parfum, il me fut parfois familier. Peut-être inspire-t-il une fée quand mes yeux tirés se retournent, et qu'en mon esprit je vois le feu, celui de ses clairs fanaux, qui me calme.

Selon la mécanique quantique, des événements qui auraient pu se produire, mais qui ne se sont pas produits, influent sur les résultats de l'expérience.

PRINCIPE DE CONTRAFACTUALITÉ

CHAÎNES BRISÉES

Ami, si tu penses à la mort prochaine de ton prochain, veille à bien lui briser le cou afin de pouvoir détacher sa tête sans problème.

*

L'énoncé « Le ciel est bleu », détaché de tout contexte, n'a pas de signification en soi. Si tu es à Ham-Nord pour une épluchette de blé d'Inde et que tu demandes au fils de ta cousine de quelle couleur est le ciel, la phrase « Le ciel est bleu » voudra dire que le fils de ta cousine sait que le mot « ciel » désigne le ciel, que celui-ci est de la couleur « bleu », et que le mot « est » désigne l'être, même quand il est gris, même quand il pleut.

*

Sans vie, sans soleil, sans fraîcheur, la chambre vide, l'escalier, la cuisine, le salon, le corridor, tu les parcours, poussiéreux et gris, tu entres dans la maison, tu t'arrêtes, tu t'essouffles, tu cours, tu marches, tu trébuches, tu rampes, tu regardes autour de toi, tu fermes les yeux, tu disparais.

*

Ne referme pas la porte du frigo derrière toi la nuit si tu as peur dans le noir. Je m'en occuperai pour toi avant de retourner t'observer pendant que tu dors.

*

Bruxelles, c'est gris. Les gens sont tristes et l'attraction principale de la ville est la statue d'un gamin qui pisse. L'eau de la fontaine s'accumule, accumule de la mousse, et la mousse au fil du temps devient de la poussière. Entre-temps, la mousse s'accumule dans l'eau de la fontaine et gagne jusqu'à la pierre sculptée, couverte de mousse par endroits, alors que le lent travail de la pluie et du vent la ronge jusqu'à ce que les efforts du sculpteur s'effacent à leur tour, au profit de la poussière.

*

Si tu n'as jamais entendu dire que Staline aurait voulu devenir une femme, c'est que les journalistes de l'époque évitaient ce genre de questions.

*

Si tu transpires au saut du lit, ça veut dire que tu te lèves la nuit pour manger des cuisses de poulet avec de la crème glacée aux brisures de chocolat et des gâteaux au caramel.

*

Si tu reçois un courriel te priant de faire suivre le message à tous tes contacts sous prétexte que cette chaîne a été commencée en 1625 par un moine capétien éleveur de morues dans le but de sauver Mathilde, une petite fille gravement malade aujourd'hui âgée de 385 ans, atteinte d'un cancer des testicules et d'une affreuse inflammation de la glande thyroïde contractée lors d'un viol par un cerf en période de brame à proximité d'un ruisseau contaminé par des déchets radioactifs tombés d'un avion furtif ; ou qu'elle s'est fait dévorer une jambe par un ours africain (espèce rare qui a la particularité de se repaître des viscères de sa victime après s'être régalée de ses membres inférieurs) lors d'un séjour au Burkina Faso et qu'il est d'une importance capitale que tu fasses suivre ce message à tous tes amis, car cela te portera chance, la preuve étant qu'en 1912, un jeune Irlandais fit suivre ce message par sms et se vit offrir dans la semaine suivante une place pour la croisière inaugurale du plus prestigieux transatlantique britannique direction New York et que ce voyage lui fit découvrir le véritable amour et les bienfaits de la natation, tandis que, si tu fais la grave erreur de garder ce message dans ton ordinateur plus de quinze minutes le mal sera porté sur toi à jamais, j'en veux pour preuve qu'il y a un peu plus de deux mille ans, un homme reçut ce message sur son BlackBerry juste avant que sa pile ne soit à plat et fut pour cette raison crucifié avec des clous rouillés et une casquette ridicule sur la tête qui l'empêcha de mourir, jusqu'à ce qu'il se prenne la porte des chiottes de la station Mir sur la tête le 1er août 1999, alors que poursuivre cette chaîne te portera chance et qu'ainsi chaque fois que tu iras aux toilettes, il y aura du papier cul, et qu'en plus tu recevras prochainement un bon de réduction de 15 % valable dans tous les endroits où l'on vend des sandwichs coupés en triangles et un versement initial de cent quarante mille livres sterling sur un compte à numéros dans une banque suisse, enfin, si l'on te prie de ne pas briser cette chaîne pour le bien de la petite Mathilde, ton bonheur personnel et celui de tous tes amis, de grâce, supprime tout de suite ce message, vide ta corbeille, formate ton disque dur et prends une douche aussi froide que possible. Si tu ne t'en es pas remis dans vingt-huit jours, six heures, quarante-deux minutes et douze secondes, supprime la personne qui te l'a envoyé et balance le corps aux ordures.

*

Si tu baises la belle fille des *Goonies* sous la douche dans un rêve et que ta montre est embuée au réveil, cela veut dire que tu dors la bouche ouverte.

*

Tout le monde souhaite emporter le regret général dans sa tombe, mais avant de te joindre à la foule pour qualifier de tragédie la disparition d'une fillette de quatre ans sous les roues d'un chauffard alcoolique, dis-toi qu'il aurait été tout aussi approprié et respectueux de pleurer la mort du petit Adolf s'il était mort d'une vulgaire pneumonie en février 1893. « Pauvre petit, aurait-on dit, il avait encore toute la vie devant lui. » Même si le plus célèbre des artistes ratés était mort au combat pendant la Première Guerre mondiale, personne n'aurait su ce que cette mort hâtive aurait eu comme effet sur le cours de l'histoire. Pas de Deuxième Guerre mondiale, pas de chambres à gaz, pas de bombe atomique, pas de guerre froide, pas de suprématie américaine, pas de Scarlett Johansson, pas de conflit israélo-palestinien, pas d'attentats aux Jeux de Munich, pas de 11 septembre 2001 (on serait passé comme par enchantement du 10 au 12), pas de ci, pas de ça, etc. Les gens aiment bien imaginer ce genre de réalités alternatives (c'est-à-dire de fictions), mais ils oublient généralement de remplacer ce qui n'arrive plus – en l'occurrence, la montée d'Hitler à la tête du IIIe Reich – par ce qui serait arrivé à la place. Autant dire que retenir sa vessie retarde la pluie. Parce que quelque chose d'autre serait forcément arrivé, seulement on ne peut en aucun cas l'imaginer. Même à plus petite échelle, si je choisis d'aller au cinéma avec une amie demain soir au lieu de rester chez moi pour dégeler mon congélateur ou défragmenter mon disque dur en regardant des reprises de *Family Guy* à la télé, il est impossible d'énumérer tous les scénarios parallèles possibles. Disons que je vais au cinéma avec elle : que peut-il se passer? Serons-nous plus que des amis à la fin du film? Si le film est mauvais, ça change quelque chose. S'il est bon aussi. Même ordinaire. Mais quoi – qu'est-ce que ça change? Peut-être que la discussion sera plus tendue après un mauvais film (surtout s'il n'est pas si mauvais que ça, et qu'on se demande s'il est vraiment mauvais ou s'il fallait comprendre autre chose que ce qu'on a cru comprendre) et peut-être qu'on tournera dans la mauvaise rue en sortant à cause de cette distraction et qu'on se fera attaquer par des clochards ironiquement armés de bâtons de golf et peut-être que rien de tout cela n'arrivera parce qu'on serait morts tous les deux une heure plus tôt dans l'incendie du cinéma ou que l'un de nous deux, en se rendant à notre rendez-vous, se serait fait frapper par un autobus ou une vieille Buick mauve conduite par un proxénète. Parce que quelque chose arriverait forcément, seulement on ne peut en aucun cas le prévoir*. Je

---

* Si on le pouvait, il faudrait aussi prévoir ce qui arriverait à la place à cause de cette prévision, de même qu'à cause de cette seconde prévision, et cette troisième, quatrième, cinquième, et ainsi de suite, jusqu'à la paralysie complète de nos capacités décisionnelles.

peux donc décider de rester chez moi demain soir en pensant éviter ces catastrophes potentielles, mais rien n'empêchera l'incendie du cinéma de se déclarer dans mon appartement à la place, à moins que mon amie ne décide de me surprendre en débarquant chez moi avec une robe moulante noire et une bouteille de vin rouge, mais peu importe, car quelque chose doit se produire, et rien n'oblige que ce soit meilleur ou pire. C'est trop facile de dire que la Deuxième Guerre mondiale aurait pu être évitée si Hitler était mort en février 1893. Connaissant l'humanité, je suis même sûr qu'une Seconde Guerre mondiale aurait eu lieu de toute façon. Une autre guerre, pas nécessairement plus meurtrière, mais pas nécessairement moins non plus. Essayons plutôt d'imaginer quelque chose de pire que l'Europe en ruine, les chambres à gaz et la bombe atomique, et disons-nous, si nous n'y arrivons pas, que c'est peut-être parce qu'on n'est pas arrivés non plus à les imaginer avant qu'elles n'arrivent que toutes ces choses sont arrivées. On essaie rarement d'éviter ce qui n'a pas encore eu lieu. Ainsi pourrait-on définir le sens du possible comme la faculté de penser tout ce qui pourrait être « aussi bien » et de ne pas accorder plus d'importance à ce qui est arrivé qu'à ce qui ne l'est pas.

*

Dernier jour d'avril 2020. Il y avait quarante ans qu'Albert Camus avait achevé *L'Étranger*, dans la nuit du trente avril de l'an quarante, jour où tu naquis. Quarante ans plus tard, une question capitale s'impose : lorsque l'on dit « Je m'en fous comme de l'an quarante », se fout-on de l'an quarante tout court ou de l'an mille neuf cent quarante ? Et pourquoi cette année-là plutôt qu'une autre ? Cela fait deux questions. Ne réponds pas.

*

Si tu penses toujours que Deutschland est un parc d'attractions à Berlin, précipite-toi sur un livre, n'importe lequel, et lis-le.

*

Si tu perds ta botte dans une tempête de neige, tu risques de ne jamais la retrouver. En revanche, si tu perds ton pied avec ta botte, les traces de sang sur la neige t'aideront à retrouver ton chemin, ta botte et ton pied.

*

L'esprit, c'est comme un parachute, dit Gandhi à Frank Zappa. Si tu n'arrives pas à l'ouvrir, t'es dans la merde.

*

Surtout reconnu aujourd'hui pour avoir fondé le mouvement Arts and Crafts au XIXe siècle, William Morris était peintre, écrivain et designer. Il a dessiné des meubles, des vitraux, ainsi que des papiers peints dont la majorité sont toujours en production commerciale. Ses théories, encore appliquées par les décorateurs anglais, édictent qu'une chambre n'est belle qu'à condition de contenir seulement des choses qui nous soient utiles et que chacune d'elles, serait-ce un simple crochet, soit non pas dissimulée, mais apparente. La chaise Morris a un dossier ajustable, et elle est faite de chêne teint foncé, comme tous les meubles Arts and Crafts. Au Québec, on retrouve surtout ce style de meubles dans les maisons d'été.

*

Il y a quelque chose d'irritant – pour ne pas dire de carrément hypocrite – dans cette manie qu'ont les femmes au physique ingrat de reprocher aux hommes qui les allument de ne pas être allumés par elles. Soyons honnêtes, mesdames; si l'amour n'avait rien de physique, on n'aurait pas besoin de se laver après l'avoir fait.

*

Si tu te réveilles sur une île déserte et qu'Elvis, Hitler et Jim Morrison se relaient pour te chier gaiement dans la bouche, soit tu es mort et tu viens de découvrir la vérité sur la vie après la mort, soit tu as ingéré de puissants narcotiques avant de perdre conscience.

*

À la manière d'un homme qui se postait place Saint-Sulpice à la recherche d'un vécu quotidien multipolaire, Émile Nelligan monta par un soir de décembre sur un banc du carré Saint-Louis pour crier à qui voulait bien l'entendre que l'hiver migrerait cette année vers le sud avec les oiseaux du Groenland. Il avait quarante-deux ans.

*

Les chaînes brisées, c'est connu, symbolisent la liberté. En sémantique, une chaîne brisée ne signifie rien. C'est un message brouillé, une lettre morte. Si tu n'as rien compris, tu as tout compris.

MASSER LE CRÂNE

Un jardinier obèse a ouvert un parapluie dans la piscine l'hiver dernier et il est devenu chauve.

Sa sœur, qui chantait dans la cave quand ses cheveux sont tombés, est sortie chercher du lait.

L'orage a éclaté.

Le gars du câble a changé un pneu dans l'ascenseur le midi suivant et tout le monde a pleuré.

Inspiré par l'histoire du balayeur de rue qui gardait sa brosse à dents dans le frigo, le coiffeur du jardinier obèse a commencé à lui masser le crâne avec une lampe de poche.

Le gars du câble, qui sortait en cachette avec la sœur du jardinier obèse, a ressenti du jour au lendemain une grande honte de ne pas savoir distinguer un arbre à fleurs d'un arbre à fruits.

La sœur du jardinier obèse, de son côté, préférait énumérer en cachette des animaux et des instruments de musique.

Le jardinier obèse n'en disait rien, mais il savait que son coiffeur fantasmait secrètement sur sa sœur, tout comme le gars du câble savait que le balayeur de rue préférait de loin la boisson aux jeunes garçons et mettait sa brosse à dents au frigo avant de se coucher en pensant se réveiller avec une haleine plus fraîche le lendemain matin.

Un soir, il a essayé de faire comme le balayeur de rue, la boisson en moins. Quand il s'est réveillé, la sœur du jardinier obèse traçait des rectangles et des carrés sur les murs avec des crayons de cire mauve. Le balayeur de rue, attaché au pied du lit, tenait dans sa main la brosse à dents fatiguée du jardinier, et le gars du câble piratait les chaînes payantes pour un voisin muet comme une tombe.

Le jardinier obèse, qui en avait assez vu, a refermé son parapluie en espérant se refaire, comme au poker, mais ses cheveux ne sont pas revenus. Le Texas avait dû les retenir en faisant abstraction du Nord.

C'EST LE PIED
Allégorie du triomphe de la vénérée

Le musicien rock britannique Geoff Bronzino rêvait douloureusement de travailler dans un bureau pour gagner sa vie. Penser aux dossiers qui s'empilent, à l'angoisse d'avoir oublié son attaché-case à l'hôtel ou son Black-Berry dans la voiturette de golf, ou évoquer les heures supplémentaires passées à fixer le vide le samedi soir, mollement enfoncé dans un fauteuil en cuir noir couinant sa valeur à chaque changement de position, les bras croisés derrière la tête à fantasmer sur sa secrétaire ; tout cela, et bien d'autres choses encore plus éloignées du monde du rock, le faisait frémir d'envie.

Je marchais à ses côtés sans rien dire, écoutant paisiblement le musicien me confier son rêve « *off the record* » (ce sont là ses dernières paroles, que le choc et le respect m'empêchent de traduire), quand un immense pied de chérubin est tombé du ciel comme un éclair et l'a écrasé de tout son poids, le tuant sur le coup.

Son horrible cri vibra dans l'air un an durant.

TABLE DES MATIÈRES

Achevé d'imprimer au Québec
en mai 2010 sur papier certifié FSC
par l'imprimerie Gauvin.